Die Reden des Epiktet (Buch 4)

Stoizismus Von der Lektion zur Aktion!

EPIKTET

Stoische Philosophie für den zeitgenössischen Leser | Stoizismus verdaut für das moderne Leben

∎∎∎

Übersetzung: Alexander K. W.

Liste der Mitwirkenden: Epiktet (Epictetus), George Long, Sam Nusselt

Epiktet war ein griechischer Philosoph, der von 55-135 n. Chr. lebte. Er wurde in Hierapolis in Phrygien (der heutigen Türkei) in die Sklaverei geboren und erlangte später seine Freiheit. Epictetus' Lehren basierten auf dem Stoizismus und betonten die Bedeutung von Selbstdisziplin, die Akzeptanz des Schicksals und das Streben nach Tugend. Obwohl er keine seiner Lehren niederschrieb, verfasste sein Schüler Arrian, ein römischer Senator, die "Diskurse" und das "Enchiridion" auf der Grundlage von Epiktetus' Vorlesungen. Epictetus' Philosophie hatte einen großen Einfluss auf die späteren stoischen Philosophen und wird bis heute studiert und respektiert.

Die Reden des Epiktet (Buch 4) - Stoizismus Von der Lektion zur Aktion!

Bearbeitung, Umschlag, Copyright © 2023 ISBN OWNER

LEGENDARY EDITIONS

THIS ADAPTATION IS A COPYRIGHTED WORK, LEGALLY REGISTERED/PROTECTED WITH BLOCKCHAIN TECHNOLOGY (REGISTRATION NUMBER: DA-2023-046970)

Ausgabe/Version: 1/3 [Überarbeitet 31 Mai 2024]

1. Die Ethik | 2. Die Stoiker | 3. Das Leben.

■ AΩ ■

Erweitern Sie Ihren literarischen Horizont und verschenken Sie die Freude am Lesen: Entdecken Sie eine Welt voller fesselnder Bücher, die inspirieren, bilden und unterhalten!

INHALT

VORWORT

Im Bereich der antiken Philosophie gibt es nur wenige Stimmen, die so kraftvoll widerhallen und die Tiefen des menschlichen Geistes berühren wie die des Epiktet, des verehrten stoischen Philosophen des antiken Griechenlands. Seine zeitlose Weisheit durchdringt nach wie vor das menschliche Denken und bietet all jenen Trost, Führung und Inspiration, die nach einem Leben voller Sinn und Gelassenheit suchen.

Die "Diskurse des Epiktet" sind ein Werk, das die tiefgreifenden Lehren und Einsichten dieses außergewöhnlichen Philosophen zusammenfasst. Auf diesen Seiten nimmt uns Epiktet auf eine transformative Reise mit, die uns vom rein intellektuellen Verständnis zur transformativen Kraft des Handelns führt.

Epiktet war der Ansicht, dass wahre Weisheit nur durch praktische Anwendung erlangt werden kann. Es reicht nicht aus, nur über philosophische Prinzipien nachzudenken; man muss sie in jedem Atemzug, in jeder Interaktion verkörpern. Dieses Buch, eine Zusammenstellung seiner erleuchtenden Vorträge, enthüllt den Weg zu innerem Frieden und Erfüllung, indem es die Philosophie in die Praxis umsetzt.

In diesen heiligen Worten vermittelt Epiktet unschätzbare Lektionen über die Natur der Selbstbeherrschung, die Widerstandsfähigkeit und das Leben in Harmonie mit den sich ständig verändernden Gezeiten der Existenz. Er verdeutlicht, wie wichtig es ist, zu unterscheiden, was unter unserer Kontrolle steht und was jenseits davon liegt, und führt uns zu einem unerschütterlichen Gefühl von Freiheit und Gelassenheit, unabhängig von äußeren Umständen.

Epictetus' Lehren gehen über die Grenzen der Theorie hinaus. Er bietet praktische Übungen und nachvollziehbare Beispiele, die es uns ermöglichen, die Kluft zwischen Philosophie und Alltag nahtlos zu überbrücken. Ob es darum geht, persönliche Beziehungen zu pflegen, Widrigkeiten zu meistern oder inmitten des Chaos nach einem Sinn zu suchen, seine Worte werden zu einem Kompass, der uns zu einem besseren Verständnis von uns selbst und der Welt um uns herum führt.

Dieses Buch ist nicht nur eine philosophische Abhandlung; es ist ein Aufruf zu den Waffen, ein Zeugnis für die transformative Kraft der Anwendung alter Weisheiten auf die Komplexität unseres modernen Lebens. Es soll uns daran erinnern, dass wahres Glück nicht in der unbeständigen Hand des Schicksals liegt, sondern in der unerschütterlichen Kraft unserer eigenen Gedanken, Entscheidungen und Handlungen.

Schlagen Sie diese Seiten auf, tauchen Sie ein in die zeitlosen Lehren des Epiktet, und begeben Sie sich auf eine Reise zur Selbstbeherrschung, zur Freiheit und zu den außergewöhnlichen Höhen des menschlichen Geistes.

KAPITEL 1

— Über die Freiheit

Lebe ein Leben in Freiheit, ungehindert von äußeren Kräften und geleitet von der Erfüllung deiner Wünsche. Lehne Irrtum und Täuschung ab und strebe nach Gerechtigkeit, Mäßigung und Zufriedenheit. Vermeiden Sie Kummer, Angst, Neid und Enttäuschung. Üben Sie sich in Selbstbeherrschung und vermeiden Sie, in das zu fallen, was Sie vermeiden wollen. Wenn Sie sich jedoch in einer Position der Macht und des Privilegs befinden, lassen Sie sich nicht von Ihrem Status täuschen, denn wahre Freiheit wird nicht durch Abstammung oder soziale Stellung bestimmt. Sie liegt vielmehr in der Fähigkeit, ohne Zwang zu handeln und über die eigenen Handlungen und Gefühle zu herrschen. Verstehen Sie, dass selbst diejenigen, die mächtig erscheinen, von ihren Anhaftungen und Wünschen versklavt sind. Ergreifen Sie daher die wahre Freiheit, indem Sie die Selbstbeherrschung kultivieren und ein Leben führen, das von Weisheit und Tugend geleitet wird.

> **Wahre Freiheit: Leben in Übereinstimmung mit dem eigenen Willen**

Er ist wirklich frei, wenn er nach seinen eigenen Wünschen lebt, ohne kontrolliert, behindert oder gezwungen zu werden. Seine Handlungen werden nicht behindert, seine Wünsche werden erfüllt, und er vermeidet, was er vermeiden will. Wer würde sich freiwillig dafür entscheiden, im Irrtum zu leben oder sich täuschen zu lassen? Keiner. Niemand möchte ein Leben voller Fehler, Ungerechtigkeit, Unbeherrschtheit, Unzufriedenheit oder Mittelmäßigkeit führen.

Daher leben diejenigen, die ein unmoralisches Leben führen, nicht so, wie sie es wirklich wollen, und sie sind nicht frei. Wer würde sich freiwillig dafür entscheiden, in Traurigkeit, Angst, Neid oder Mitleid zu leben? Wer wünscht sich etwas, erreicht es aber nicht, oder versucht, etwas zu vermeiden, stürzt aber schließlich hinein? Keiner. Wir können also keinen einzigen unmoralischen Menschen finden, der frei von Traurigkeit oder Angst ist oder der nicht in das fällt, was er vermeiden möchte. Wir können keinen einzigen unmoralischen Menschen finden, der wirklich frei ist. Wenn ein Mann, der zweimal das angesehene Amt eines Konsuls bekleidet hat, dies hören würde, würde er Ihnen vielleicht verzeihen, wenn Sie sagen: "Aber Sie sind ein weiser Mann, das gilt nicht für Sie." Wenn du ihm aber die Wahrheit sagst und sagst: "Du bist nicht anders als die, die dreimal in die Sklaverei verkauft wurden, und du selbst bist kein freier Mann", was erwartest du dann? Er wird wahrscheinlich mit Gewalt reagieren, denn er könnte sagen: "Was? Ich, ein Sklave? Mein Vater und meine Mutter waren beide frei, und niemand kann mich kaufen. Ich bin ein Senator, ein Freund Cäsars, ein ehemaliger Konsul, und ich besitze viele Sklaven." Erstens, mein geschätzter Senator, ist es möglich, dass Ihr Vater, Ihre Mutter und sogar Ihre Vorfahren in irgendeiner Form versklavt waren. Aber selbst wenn sie so frei waren, wie Sie behaupten, was hat das mit Ihnen zu tun? Was ist, wenn sie edle Eigenschaften besaßen, während Sie von niederer Natur sind? Was ist, wenn sie mutig waren, während Sie ein Feigling sind? Was ist, wenn sie Selbstbeherrschung hatten, während es Ihnen daran mangelt?

"Und was", fragst du vielleicht, "hat das mit dem Sklavendasein zu tun?" Scheint es dir nicht, dass etwas, das du unfreiwillig, unter Zwang und mit Stöhnen tust, mit dem Sklavendasein zu tun hat? "Es ist etwas", sagst du, "aber wer kann mich zwingen, wenn nicht der Herrscher über alles, Cäsar?" Dann hast du selbst zugegeben, dass du einen Herrn hast. Aber die Tatsache, dass er der gemeinsame Herr aller ist, wie du behauptest, sollte dich keineswegs trösten. Begreife vielmehr, dass du ein Sklave in einem großen Haushalt bist. Genauso sind die Einwohner von Nikopolis gewohnt zu rufen: "Wir sind frei, dank Cäsars Glück."

Aber bitte, lassen Sie uns jetzt nicht über Caesar sprechen. Aber lassen Sie mich fragen: Haben Sie jemals jemanden geliebt, sei es ein junges Mädchen, einen Sklaven oder einen freien Menschen? Was spielt es für eine Rolle, ob er ein Sklave oder ein Freier ist? Wurden Sie noch nie von Ihrem Geliebten gebeten, etwas zu tun, was Sie nicht tun wollten? Haben Sie Ihrer kleinen Sklavin nie geschmeichelt? Haben Sie ihr noch nie die Füße geküsst? Wenn dich aber jemand zwingen würde, Cäsars Füße zu küssen, würdest du das als Beleidigung und als übertriebene Tyrannei empfinden. Was ist dann Sklaverei? Bist du noch nie nachts gegen deinen Willen irgendwo hingegangen? Haben Sie noch nie Geld ausgegeben, das Sie nicht ausgeben wollten? Haben Sie noch nie Worte geäußert, die von Seufzern und Stöhnen begleitet waren? Haben Sie noch nie Missbrauch und Ausgrenzung ertragen? Aber wenn Sie sich schämen, Ihr eigenes Handeln zuzugeben, dann schauen Sie sich an, was Thrasonides sagt und tut. Er, der mehr im Militär gedient hat als vielleicht sogar du, geht zuerst nachts hinaus, wenn Geta sich nicht traut, aber wenn er von seinem Herrn gezwungen worden wäre, hätte er sich beschwert und wäre hinausgegangen und hätte seine bittere Sklaverei beklagt. Und was sagt Thrasonides ? "Ein wertloses Mädchen hat mich versklavt, mich, den kein Feind je versklavt hat." Armer Mann, sogar von einem Mädchen versklavt zu werden, und noch dazu von einem wertlosen. Warum betrachten Sie sich dann immer noch als frei? Und warum sprichst du von deinem Dienst in der Armee? Dann bittet er um ein Schwert und wird wütend auf die Person, die es ihm aus Freundlichkeit verweigert. Er schickt Geschenke an jemanden, der ihn hasst, und er bettelt und weint. Und andererseits, wenn er auch nur einen kleinen Erfolg erzielt, wird er von sich selbst eingenommen. Aber war er auch dann noch frei genug, um nicht zu begehren oder zu fürchten?

Lassen Sie uns nun überlegen, wie wir das Konzept der Freiheit wahrnehmen und auf Tiere anwenden. Wir sehen, dass Menschen Löwen in Gefangenschaft halten, sie füttern und sogar an Orte bringen. Aber können wir wirklich sagen, dass diese Löwen frei sind? Je wohler sie sich fühlen, desto mehr kann man sagen, dass sie sich in einem Zustand der Sklaverei befinden. Wenn diese Löwen

Vernunft und Wahrnehmung besäßen, würden sie dann wirklich ein solches Leben führen wollen? In ähnlicher Weise leiden Vögel, die gefangen und eingesperrt sind, sehr unter ihren Fluchtversuchen. Einige von ihnen sterben sogar eher vor Hunger, als sich einem Leben in Gefangenschaft zu unterwerfen. Die wenigen, die es schaffen zu überleben, erleben kaum ein richtiges Leben, da sie weiter leiden und verkümmern. Wenn sich ihnen jemals eine Gelegenheit bietet, frei zu sein, ergreifen sie diese ohne zu zögern. Das verdeutlicht, wie sehr sie sich nach ihrer natürlichen Freiheit und der Abwesenheit von Hindernissen sehnen. Welchen Schaden richtet ihr Wunsch nach Freiheit bei uns an? Wenn sie ihre Beschwerden äußern und sagen: "Ich bin geboren, um zu fliegen, wohin ich will, um in der freien Natur zu leben und zu singen, wie ich will", welches Recht haben wir dann, ihnen diese Fähigkeiten vorzuenthalten und ihr Leiden zu ignorieren? Daraus können wir schließen, dass nur die Tiere, die es nicht ertragen, gefangen zu sein, und stattdessen den Tod wählen, um der Gefangenschaft zu entkommen, wirklich als frei gelten können. Diogenes vertritt die Ansicht, dass der einzige Weg in die Freiheit darin besteht, zufrieden zu sterben, und er bringt diesen Gedanken in seinen Schriften zum Ausdruck, in denen er den Tod als die ultimative Form der Befreiung bezeichnet.

Der persische König sagte: "Ihr könnt den athenischen Staat ebenso wenig versklaven wie die Fische". "Wie kann das sein? Kann ich sie nicht fangen?" "Wenn du sie fängst", antwortete Diogenes, "werden sie dich sofort verlassen, so wie es die Fische tun. Denn wenn du einen Fisch fängst, stirbt er. Und wenn diese Männer, die du fängst, sterben, was nützt dann die Vorbereitung auf den Krieg?" Dies sind die Worte eines freien Mannes, der die Angelegenheit sorgfältig geprüft und, wie es sich gehört, die Wahrheit entdeckt hat. Aber wenn man sie an einem anderen Ort sucht als dort, wo sie ist, ist es kein Wunder, wenn man sie nie findet.

Der Sklave möchte sofort freigelassen werden. Warum? Meinen Sie, er möchte Geld an die Zwanzigstel-Sammler zahlen? Nein. Er wünscht sich die Freiheit, weil er glaubt, dass die nicht erlangte Freiheit ihn zurückhält und ihm Unglück bringt. Er glaubt, dass er, wenn er frei ist, glücklich sein wird, dass er sich um niemanden mehr kümmern muss, dass er mit allen gleichberechtigt spricht und dass er gehen kann, wohin er will.

Doch als er befreit wird, stellt er fest, dass er nichts zu essen hat und jemanden suchen muss, der ihm schmeichelt, damit er eine Mahlzeit bekommt. Entweder arbeitet er hart und erträgt Schreckliches, oder wenn er das Glück hat, einen Platz zum Essen zu finden, wird er noch mehr versklavt als zuvor. Selbst wenn der ehemalige Sklave reich wird, weiß er nicht, was gut ist, und verliebt sich schließlich in ein junges Mädchen, was ihn dazu bringt, sich nach seinem früheren Leben als Sklave zu sehnen. Er fragt sich, welches Übel er in seinem Sklavendasein erlebt hat, wo andere ihn mit Kleidung, Schuhen und Essen versorgten und sich um ihn kümmerten, wenn er krank war, während er nur wenige Dienste für sie zu leisten hatte.

Er glaubt, dass er ein erfolgreiches und glückliches Leben führen wird, wenn er Ringe erwirbt. Um diese Ringe zu erhalten, unterwirft er sich etwas, das ihm zusteht. Doch selbst wenn er sie erworben hat, verspürt er immer noch die gleiche Unzufriedenheit. Er glaubt dann, dass er von allen Übeln befreit wird, wenn er sich zum Militärdienst verpflichtet. Dies erweist sich jedoch als unwahr, denn er leidet genauso viel, wenn nicht mehr, als ein ausgepeitschter Sklave. Trotzdem bittet er um einen zweiten und dritten Dienst.

Als er schließlich Senator wird, wird er erneut versklavt, indem er in die Versammlung eintritt. Dies ist jedoch eine raffiniertere und prächtigere Form der Sklaverei. Er erkennt, dass wahre Freiheit nicht darin besteht, ein Narr zu sein, sondern zu lernen, was Sokrates gelehrt hat - die Natur von allem, was existiert, und keine vorschnellen Urteile zu fällen. Dieser Mangel an Anpassung ist die Ursache allen menschlichen Leids. Die Menschen haben unterschiedliche Meinungen und Überzeugungen, denken, sie seien krank, arm, von den Eltern belastet oder Cäsar sei gegen sie. Aber all das ist die Folge davon, dass sie nicht wissen, wie sie ihre vorgefassten Meinungen an verschiedene Situationen anpassen können.

Wenn man nicht in der Lage ist, sich anzupassen, leidet man und glaubt, dass es das größte Übel ist, nicht der Freund Cäsars zu sein.

Das ist jedoch ein Irrtum. Selbst wenn man Cäsars Freund wird, ist man immer noch von Problemen und Sorgen geplagt. Sie fürchten, den Kopf zu verlieren, und ihr Handeln ist von der Angst belastet, Fehler zu machen. Der ehemalige Sklave erkennt, dass er sein früheres Leben vorzog, in dem er in Ruhe schlafen, seine Mahlzeiten genießen und sich ohne Sorgen körperlich betätigen konnte.

Freiheit hat nichts mit Reichtum, Macht oder sozialem Status zu tun. Wenn jemand der Kontrolle eines anderen unterworfen ist, wenn dieser ihm gegen seine eigenen Überzeugungen schmeichelt oder wenn er jammert und sich beschwert, ist er nicht wirklich frei. Selbst wenn sie eine Praetexta tragen, sind sie immer noch versklavt. Wahre Freiheit ist nicht nur die Abwesenheit dieser äußeren kontrollierenden Kräfte, sondern auch die Fähigkeit, eine eigene Meinung zu haben, die nicht dem Zwang, der Behinderung oder dem Unglück unterworfen ist. Wenn die Meinung eines Menschen immer noch diesen äußeren Einflüssen unterworfen ist, ist er im Grunde ein Sklave, der nur eine vorübergehende Atempause erlebt. Die wahren Herrscher im Leben sind die Umstände und äußeren Kräfte, die Macht über unsere gewünschten Ziele und Besitztümer haben. Wir verehren diese Umstände, weil wir glauben, dass sie uns die größten Vorteile verschaffen können. Dieser Glaube ist jedoch fehlerhaft, da er zu falschen Schlussfolgerungen und Annahmen führt.

Was ist es dann, das den Menschen von Hindernissen befreit und ihm erlaubt, sein eigener Herr zu sein? Reichtum, Konsulat, Provinzregierung und königliche Macht erreichen dies nicht; es muss etwas anderes gefunden werden. Was ist es also, das uns beim Schreiben von Hindernissen befreit und uns erlaubt, ohne Hindernisse zu schreiben? "Das Wissen um die Kunst des Schreibens". Und was ist es beim Lautenspiel? "Die Wissenschaft des Lautenspiels." Im Leben ist es also die Wissenschaft vom Leben. Ihr habt also in einem allgemeinen Sinn gehört, aber nun lasst uns die Sache in ihren verschiedenen Teilen untersuchen. Kann jemand, der Dinge begehrt, die von anderen abhängen, frei von Hindernissen sein? "Nein." Können sie ungehindert sein? "Nein." Folglich kann er nicht wirklich frei sein. Überlegen Sie einmal: Haben wir nichts,

6

was allein in unserer Macht steht, oder haben wir die vollständige Kontrolle über alles, oder gehören einige Dinge uns, während andere anderen gehören? "Was meinen Sie?" Wenn Sie wollen, dass Ihr Körper intakt ist, liegt das in Ihrer Macht oder nicht? "Es liegt nicht in meiner Macht." Wenn Sie wollen, dass er gesund ist? "Auch das liegt nicht in meiner Macht." Wenn Sie wollen, dass er attraktiv ist? "Das auch nicht." Leben oder Tod? "Beides liegt nicht in meiner Macht." Ihr Körper gehört also jemand anderem und ist jedem unterworfen, der stärker ist als Sie? "Das tut er." Und was ist mit deinem Eigentum? Können Sie es haben, wann immer Sie wollen, so lange Sie wollen und auf die Art und Weise, die Sie wollen? "Nein." Und deine Sklaven? "Nein." Deine Kleidung? "Nein." Euer Haus? "Nein." Deine Pferde? "Keines von diesen Dingen." Wenn Sie wollen, dass Ihre Kinder, Ihre Frau, Ihr Bruder oder Ihre Freunde um jeden Preis leben, liegt das in Ihrer Macht? "Auch das liegt nicht in meiner Macht."

Haben Sie etwas, das Sie kontrollieren können, das nur von Ihnen abhängt und nicht weggenommen werden kann? Oder haben Sie etwas Ähnliches? "Ich weiß es nicht." Dann sieh es dir an, prüfe es. Kann dich jemand zwingen, etwas zuzustimmen, das falsch ist? "Keiner." Was die Zustimmung betrifft, so sind Sie also frei von Hindernissen. "Einverstanden." Nun, kann jemand Sie zwingen, etwas zu wollen, was Sie nicht wollen? "Das kann er, denn wenn er mir mit Tod oder Gefängnis droht, zwingt er mich dazu, den Wunsch zu haben, darauf zuzugehen." Wenn du Tod und Gefängnis verachtest, hörst du ihm dann trotzdem zu? "Nein." Ist die Verachtung des Todes also Ihr eigenes Handeln oder nicht? "Es ist meine Handlung." Dann ist es auch Ihre eigene Handlung, wenn Sie sich wünschen, sich auf etwas zuzubewegen, richtig? "Es ist mein eigenes Handeln." Aber wessen Handlung ist es, den Wunsch zu haben, sich von etwas wegzubewegen? Auch das ist deine Handlung. "Was ist, wenn ich versuche zu gehen, aber jemand anderes hält mich auf?" Welchen Teil von dir behindert er? Behindern sie deine Fähigkeit, zuzustimmen? "Nein, sie behindern meinen physischen Körper." Ja, so wie sie es mit einem Stein tun würden. "Zugegeben, aber ich kann nicht mehr gehen." Und wer hat Ihnen gesagt, dass das

Gehen Ihre eigene Handlung ist, die frei von Hindernissen ist? Denn ich sagte, dass nur der Wunsch, sich zu bewegen, frei von Hindernissen ist. Aber wenn der Körper und seine Mitarbeit gebraucht werden, hast du schon gehört, dass nichts dein Eigenes ist. "Auch gewährt." Und wer kann dich zwingen, etwas zu wollen, was du nicht willst? "Keiner." Und kann dich jemand dazu zwingen, die Dinge, die dir erscheinen, zu betrachten, zu planen oder zu nutzen? "Das können sie nicht, aber sie werden mich daran hindern, das zu bekommen, was ich mir wünsche, wenn ich es mir wünsche." Wenn du etwas begehrst, das dir gehört und zu den Dingen gehört, die nicht verhindert werden können, wie werden sie dich daran hindern? "Sie können es in keiner Weise." Wer sagt Ihnen also, dass jemand, der Dinge begehrt, die einer anderen Person gehören, frei von Hindernissen ist?

"Darf ich denn nicht nach Gesundheit streben?" Auf keinen Fall, auch nicht nach etwas anderem, das einem anderen gehört. Denn was du nicht nach deinem eigenen Willen erwerben oder behalten kannst, gehört einem anderen. Halte deine Hände davon fern, und was noch wichtiger ist, halte deine Wünsche davon fern. Wenn du das nicht tust, hast du dich als Sklave ausgeliefert. Du hast dich der Macht anderer unterworfen und alles, was von ihnen abhängt, was vergänglich ist und woran du Gefallen gefunden hast. "Ist meine Hand nicht meine eigene?" Sie ist ein Teil deines eigenen Körpers, aber sie ist von Natur aus aus Erde gemacht, unterliegt der Behinderung, dem Zwang und der Kontrolle durch etwas Stärkeres. Und warum sage ich "deine Hand"? Ihr solltet euren ganzen Körper wie einen armen, beladenen Esel besitzen, so lange wie möglich und so lange es euch erlaubt ist. Wenn aber ein Soldat die Hand ergreift, dann lass sie los, wehre dich nicht und beschwere dich nicht. Wenn du das tust, wirst du Schläge erhalten, und trotzdem wirst du den Esel verlieren. Wenn es aber um den Körper geht, dann überlege, was man mit allem anderen machen muss, was für ihn vorgesehen ist. Wenn der Körper ein Esel ist, sind alle anderen Dinge nur Anhängsel des Esels - Sättel, Schuhe, Gerste, Futter. Lassen Sie diese Dinge los: Werden Sie sie schneller und bereitwilliger los, als Sie den Esel loswerden würden.

Wenn Sie diese Vorbereitung abgeschlossen und diese Disziplin geübt haben, wenn Sie in der Lage sind, zwischen dem, was anderen gehört, und dem, was Ihnen gehört, zu unterscheiden, zwischen Dingen, die verhindert werden können, und solchen, die nicht verhindert werden können, zu erkennen und sich nur auf Dinge zu konzentrieren, die Sie betreffen, und Ihr Verlangen von Dingen abzuwenden, die Sie nicht betreffen, fürchten Sie dann noch jemanden? "Vor niemandem." Welchen Grund haben Sie, Angst zu haben? Machen Sie sich Sorgen um Dinge, die Sie selbst betreffen, die die Natur von Gut und Böse bestimmen? Und wer hat die Kontrolle über diese Dinge? Wer kann sie uns wegnehmen? Wer kann sie verhindern? Niemand kann das, so wie niemand Gott aufhalten kann. Aber haben Sie Angst vor Ihrem Körper und Ihrem Besitz? Haben Sie Angst vor Dingen, die Ihnen nicht gehören und die Sie in keiner Weise betreffen? Und was habt ihr von Anfang an gelernt, wenn nicht zu unterscheiden, was euch gehört und was nicht, was in eurer Macht steht und was nicht, was behindert werden kann und was nicht? Und warum habt ihr die Philosophen aufgesucht? War es, um trotzdem unglücklich und unglücklich sein zu können? Wenn du diesen Weg wirklich beschritten hast, wirst du frei von Angst und Unruhe sein. Und was bedeutet Trauer für dich? Angst entsteht durch Erwartungen, aber Trauer entsteht durch das, was in der Gegenwart geschieht. Was werden Sie sich also noch wünschen? Was die Dinge angeht, die im Bereich deines Willens liegen, die als gut und gegenwärtig angesehen werden, so hast du ein angemessenes und richtiges Verlangen nach diesen Dingen. Was aber die Dinge betrifft, die nicht in den Bereich deines Willens fallen, so begehrst du nichts von ihnen, so dass kein Raum für Irrationalität, Ungeduld und übermäßige Eile bleibt.

Wenn Sie von den Dingen auf diese Weise beeinflusst werden, wer kann dann für Sie noch furchterregend sein? Was hat ein Mensch, das für einen anderen Menschen furchterregend ist, egal ob Sie ihn sehen, mit ihm sprechen oder Zeit mit ihm verbringen? Nicht mehr als ein Pferd gegenüber einem anderen, oder ein Hund gegenüber einem anderen, oder eine Biene gegenüber einer anderen Biene. Die Dinge sind in der Tat für jeden Menschen beeindruckend, und wenn jemand in der Lage ist, einem anderen diese Dinge zu geben oder zu nehmen, dann werden auch sie beeindruckend. Wie kann man also eine Akropolis zerstören? Nicht mit dem Schwert, nicht mit Feuer, sondern mit der Meinung. Denn wenn wir die Akropolis in der Stadt abschaffen, können wir dann auch die Akropolis des Fiebers abschaffen und die Akropolis der schönen Frauen? Können wir, kurz gesagt, die Akropolis abschaffen, die in uns ist, und uns von den Tyrannen in uns befreien, denen wir erlaubt haben, Macht über uns zu haben, manchmal dieselben Tyrannen und manchmal andere Tyrannen? Aber wir müssen damit beginnen und die Akropolis abreißen und die Tyrannen vertreiben, indem wir den Körper, seine Teile, seine Fähigkeiten, seinen Besitz, sein Ansehen, seine Ämter, seine Ehren, seine Kinder, seine Brüder, seine Freunde aufgeben; indem wir all diese Dinge als Eigentum anderer betrachten. Und wenn die Tyrannen von uns vertrieben worden sind, warum umschließe ich dann noch die Akropolis mit einer Umfassungsmauer, wenigstens um meiner selbst willen? Denn wenn sie noch steht, was macht sie dann mit mir? Warum vertreibe ich immer noch Wächter? Wo kann ich sie wahrnehmen? Sie haben ihre fasces , Speere und Schwerter gegen andere. Aber mein Wille ist nie behindert oder gezwungen worden, wenn ich nicht wollte. Und wie ist das möglich? Ich habe meine Handlungen auf den Gehorsam gegenüber Gott ausgerichtet. Wenn es sein Wille ist, dass ich Fieber habe, dann ist es auch mein Wille. Wenn es sein Wille ist, dass ich mich auf etwas zubewege, dann ist es auch mein Wille. Wenn es Sein Wille ist, dass ich etwas erhalte, dann ist es auch mein Wunsch. Wenn er nicht will, wünsche ich nicht. Wenn es Sein Wille ist, dass ich gefoltert werde, dann ist es mein Wille zu sterben; es ist mein Wille, gefoltert zu werden. Wer kann mich also noch gegen mein eigenes Urteil hindern oder mich zwingen? Niemand kann das tun, so wie niemand Zeus hindern oder zwingen kann.

So werden auch die vorsichtigeren Reisenden aktiv. Ein Reisender hat gehört, dass die Straße von Räubern heimgesucht wird; er wagt es nicht, sich allein auf den Weg zu machen. Stattdessen wartet er auf die Gesellschaft eines Botschafters, eines Quästors oder eines Prokonsuls, die für seine Sicherheit sorgen. Wenn er sich mit solchen Personen zusammengetan hat, kann er die Straße ohne Angst befahren.

Ähnlich handelt der weise Mensch in der Welt. Es gibt zahlreiche Gruppen von Räubern, Tyrannen, Stürmen, Schwierigkeiten und Verlusten von Dingen, die uns lieb und teuer sind. Der weise Mensch denkt darüber nach: "Wo kann ich einen Zufluchtsort finden? Wie kann ich mich fortbewegen, ohne von Räubern überfallen zu werden? Welche Gesellschaft sollte ich suchen, um meine Sicherheit zu gewährleisten? Mit wem sollte ich mich verbünden? Sollte es ein wohlhabender Mann sein oder jemand von konsularischem Rang? Aber was würde mir das bringen? Ein solcher Mensch mag zwar reich sein, aber er selbst ist des Glücks beraubt und von Kummer und Sorgen erfüllt. Und was ist, wenn mein Gefährte sich gegen mich wendet und mein Dieb wird? Was dann?

Aber wenn ich "ein Freund Cäsars" werde, wenn ich ein Gefährte Cäsars bin, dann wird mir niemand etwas tun. Doch bevor ich das erreichen kann, muss ich viele Entbehrungen ertragen und leiden. Wie oft werde ich ausgeraubt werden und von wie vielen Menschen? Und selbst wenn ich Cäsars Freund werde, ist auch er sterblich. Wenn sich Cäsar aus irgendeinem Grund gegen mich wendet, wohin soll ich mich dann zurückziehen, um mich in Sicherheit zu bringen? Soll ich an einen verlassenen Ort fliehen? Aber wird mich die Krankheit nicht auch dort finden?

Was soll ich also tun? Ist es nicht möglich, einen vertrauenswürdigen und zuverlässigen Reisebegleiter zu finden? Jemanden, der stark und fähig ist, unerwartete Angriffe abzuwehren?" So denkt er nach und erkennt, dass er seine Reise sicher antreten kann, wenn er sich auf Gott ausrichtet.

Was verstehen Sie unter "sich an Gott binden"? In diesem Sinne bedeutet es, den eigenen Willen mit dem Willen Gottes in Einklang zu bringen. Was immer Gott wünscht, sollte der Mensch auch wünschen, und was immer Gott nicht wünscht, sollte der Mensch nicht wünschen. Wie kann dies erreicht werden? Indem man Gottes Handlungen beobachtet und studiert, und wie er regiert. Was hat Gott mir gegeben, um es zu besitzen und zu kontrollieren? Was hat er für sich selbst aufbewahrt? Er hat mir die Dinge anvertraut, die in den Bereich meines Willens fallen. Er hat mir die Macht gegeben, diese Dinge ohne Hindernisse oder Behinderungen zu kontrollieren. Wie konnte er den physischen Körper frei von Hindernissen machen? Deshalb hat er alles der natürlichen Ordnung des Universums unterworfen, einschließlich der materiellen Güter, der Haushaltsgegenstände, der Wohnung, der Kinder und des Ehepartners. Warum also kämpfe ich gegen Gott? Warum begehre ich Dinge, über die ich keine Kontrolle habe? Warum wünsche ich mir etwas, das ich nicht haben soll? Wie sollte ich die Dinge stattdessen begehren? Ich sollte sie so begehren, wie sie mir gegeben werden, und so lange, wie sie mir gegeben werden. Aber derjenige, der gegeben hat, kann auch wieder wegnehmen. Warum widerstehe ich also? Ich sage nicht, dass es töricht ist, jemanden herauszufordern, der stärker ist als ich, aber es ist sicherlich ungerecht. Denn woher habe ich diese Dinge, als ich auf die Welt kam? Mein Vater schenkte sie mir. Und wer hat sie ihm gegeben? Wer hat die Sonne erschaffen? Wer hat die Früchte der Erde gemacht? Wer kontrolliert die Jahreszeiten? Wer hat die Verbindungen und Beziehungen zwischen den Menschen geschaffen?

Nachdem du alles von anderen und sogar von dir selbst erhalten hast, wirst du wütend und beschuldigst den Geber, wenn er dir etwas wegnimmt? Wer bist du, und warum bist du in diese Welt gekommen? Hat Er dich nicht hierher gebracht? Hat er dir nicht das Licht gezeigt, dir Mitmenschen, Wahrnehmung und Verstand gegeben? Und als wen hat er dich hierher gebracht? Hat Er dich nicht als Sterblichen hierher gebracht, der durch den Tod gebunden ist, um auf der Erde mit begrenzter Zeit zu leben, um Seine Verwaltung zu beobachten und Ihm bei dem Spektakel und dem Fest beizuwohnen? Wenn er dich also, solange es dir erlaubt ist, nach dem Spektakel und der Feierlichkeit wegführt, wirst du dann nicht mit Ehrfurcht vor ihm und Dankbarkeit für das, was du gesehen und gehört hast, gehen? "Nein, ich möchte lieber weiter dem Festmahl frönen". Sogar die Eingeweihten würden sich wünschen, dass die Einweihung länger dauert, und vielleicht gibt es in Olympia einige, die gerne andere Athleten sehen würden. Doch die Feierlichkeit ist zu Ende; geh wie ein dankbarer und bescheidener Mensch, mach

Platz für andere. Andere müssen auch geboren werden, so wie du es warst, und wenn sie geboren werden, brauchen sie einen Platz, ein Zuhause und die notwendigen Dinge. Und wenn die ersten nicht in den Ruhestand gehen, was bleibt dann? Warum seid ihr unersättlich? Warum seid ihr nicht zufrieden? Warum versucht ihr, die Welt zu begrenzen? "Aber ich möchte meine kleinen Kinder und meine Frau bei mir haben." Gehören sie wirklich dir? Gehören sie nicht dem Geber, demjenigen, der dich geschaffen hat? Willst du nicht auf das verzichten, was den anderen gehört? Willst du dich nicht demjenigen unterordnen, der über dir steht? "Warum hat er mich dann unter diesen Umständen in diese Welt gebracht? Wenn die Umstände nicht zu dir passen, dann geh. Er braucht keine Zuschauer, die unzufrieden sind. Er will diejenigen, die am Fest teilnehmen, die in den Chor einstimmen, die applaudieren, bewundern und die Feierlichkeit mit Hymnen feiern. Aber diejenigen, die keinen Ärger ertragen können, und diejenigen, die feige sind, möchte Er nicht bei dieser großen Versammlung fehlen sehen, denn wenn sie anwesend waren, haben sie sich nicht so verhalten, wie es sich für ein Fest gehört. Sie erfüllten ihre Rolle nicht richtig; stattdessen beklagten sie sich und bemängelten die Götter, das Schicksal und ihre Gefährten. Sie übersahen sowohl die Dinge, die sie besaßen, als auch ihre eigenen Fähigkeiten, die sie zu gegensätzlichen Zwecken erhalten hatten, wie z. B. die Kraft des Großmuts, einen großzügigen Verstand und einen mutigen Geist - all die Eigenschaften, über die wir gerade nachdenken, die Freiheit. "Warum also habe ich diese Dinge erhalten?" Um sie zu nutzen. "Für wie lange?" So lange, wie derjenige, der sie dir geliehen hat, entscheidet. "Aber was ist, wenn sie für mich notwendig sind?" Halte dich nicht an ihnen fest, dann sind sie nicht notwendig. Rede dir nicht ein, dass sie notwendig sind, dann sind sie wirklich nicht notwendig.

Dieses Studium sollte von morgens bis abends praktiziert werden, beginnend mit den kleinsten und verletzlichsten Dingen, wie einem irdenen Topf oder einer Tasse. Gehen Sie dann allmählich zu größeren Gegenständen wie einer Tunika, einem kleinen Hund, einem Pferd oder einem kleinen Stück Land über. Danach wende deine Aufmerksamkeit auf dich selbst, deinen Körper und die verschiedenen Teile deines Körpers und schließlich auf deine Brüder. Schau dir all diese Dinge an und lass sie los. Reinigt eure Meinungen, damit nichts an euch haftet, was nicht zu euch gehört, und damit nichts euch Schmerz bereitet, wenn es weggenommen wird. Sagen Sie bei dieser täglichen Übung nicht, dass Sie philosophieren; das wäre arrogant. Sagen Sie vielmehr, dass Sie Ihre Freiheit wahrnehmen, denn das ist die wahre Freiheit. Diogenes wurde von Antisthenes zu dieser Freiheit aufgerufen, und er erklärte, dass er von niemandem mehr versklavt werden könne. Aus diesem Grund betrachtete er, als er von Piraten gefangen genommen wurde, keinen von ihnen als seinen Herrn. Als er als Sklave verkauft wurde, suchte er nicht nach einem Herrn, sondern handelte selbst wie ein Sklave. Er stritt sich sofort mit seinem neuen Herrn und gab ihm Ratschläge, wie er sich kleiden und pflegen sollte und sogar, wie er seine Kinder erziehen sollte. Was ist daran so seltsam? Wenn sein Herr einen Dompteur, einen Arzt oder einen Architekten gekauft hätte, hätte er sie dann wie Diener oder Herren behandelt? Das Gleiche gilt für jeden, der eine bestimmte Fähigkeit besitzt; er muss denen, die diese Fähigkeit nicht besitzen, überlegen sein. Wer also das Wissen besitzt, wie man lebt, muss ein Meister sein. Wer ist der Kapitän eines Schiffes? "Derjenige, der es steuert." Und warum? Weil diejenigen, die dem Kapitän nicht gehorchen, mit Konsequenzen rechnen müssen. "Aber ein Kapitän kann mich körperlich bestrafen." Kann er das tun, ohne Konsequenzen zu befürchten?' "Das dachte ich früher auch." Aber weil er das nicht tun kann, ohne Konsequenzen zu befürchten, hat er nicht wirklich die Macht, es zu tun. Niemand kann eine ungerechte Tat begehen, ohne die Konsequenzen tragen zu müssen. "Und was glaubst du, welche Strafe denjenigen erwartet, der seinen eigenen Sklaven ankettet?" Die bloße Handlung des Ankettens des Sklaven selbst. Auch dem würdest du zustimmen, wenn du dich für die Wahrheit entscheiden würdest: Der Mensch ist kein wildes Tier, sondern ein domestiziertes Tier. Wann geht es einer Rebe schlecht? Wenn sie nicht mit ihrer Natur übereinstimmt. Das Gleiche gilt für einen Hahn. Und so ist es auch mit dem Menschen. Was ist denn die Natur des Menschen? Zu beißen, zu treten, einzusperren und hinzurichten? Nein, die Natur des

Menschen ist es, Gutes zu tun, mit anderen zusammenzuarbeiten und ihnen Gutes zu wünschen. Deshalb ist er in dem Moment, in dem er töricht handelt, in einem schlechten Zustand, ob ihr das nun akzeptieren wollt oder nicht.

"Sokrates ging es also nicht schlecht?" Nein, aber seine Richter und Ankläger schon. "Auch Helvidius in Rom erging es nicht schlecht?" Nein, aber seinem Mörder. "Wie meinst du das?" Das ist dasselbe, wie wenn du sagst, dass es einem Hahn nicht schlecht ergangen ist, wenn er einen Kampf gewonnen hat, aber schwer verletzt wurde; aber dass es dem Hahn schlecht ergangen ist, wenn er besiegt wurde und unverletzt bleibt. Sie halten einen Hund auch nicht für glücklich, wenn er keine Beute jagt oder arbeitet, sondern nur, wenn Sie ihn nach dem Laufen schwitzen, Schmerzen haben und schwer hecheln sehen. Welches Paradoxon behaupten wir, wenn wir sagen, dass das Böse in allem das ist, was seiner Natur zuwiderläuft? Ist das ein Paradoxon? Weil wir dies über alle anderen Dinge sagen, warum denken wir dann anders über den Menschen? Aber da wir behaupten, dass die Natur des Menschen häuslich, sozial und loyal ist, würden Sie das nicht als Paradoxon bezeichnen, oder? "Nein." Ist es also ein Paradoxon zu sagen, dass ein Mensch nicht verletzt wird, wenn er ausgepeitscht, in Ketten gelegt oder geköpft wird? Wenn er es edel erträgt, kommt er dann nicht mit einem noch größeren Vorteil und Nutzen heraus? Aber wird er nicht verletzt, wenn er auf erbärmliche und schändliche Weise leidet und sich von einem Menschen in einen Wolf, eine Viper oder eine Wespe verwandelt?

Fassen wir die Dinge zusammen, auf die wir uns geeinigt haben. Eine Person, die keinen Zwängen unterworfen ist, wird als frei angesehen. Sie hat die Möglichkeit, die Dinge genau so zu haben, wie sie es sich wünscht. Andererseits gilt jemand, der gegen seinen Willen eingeschränkt, gezwungen, behindert oder in ungünstige Umstände gebracht werden kann, als Sklave. Aber wer kann wirklich frei von jeglichen Zwängen sein? Es ist jemand, der nichts begehrt, was anderen gehört. Und was genau gehört den anderen? Das sind Dinge, über die wir keine Kontrolle haben, sei es, dass wir sie haben oder nicht haben. Dazu gehören der Körper, seine Teile und

Besitztümer. Wenn Sie an diesen Dingen hängen, als ob sie Ihnen gehören, werden Sie mit Konsequenzen rechnen müssen, so wie es für jemanden angemessen ist, der etwas begehrt, das einem anderen gehört. Dieser Weg führt in die Freiheit, er ist die einzige Möglichkeit, der Sklaverei zu entkommen. Du kannst endlich von ganzem Herzen sagen: "Führe mich, o Zeus, und du, o Schicksal, auf den Weg, den du mich zu gehen bittest."

Aber was sagst du, Philosoph? Der Tyrann fordert dich auf, etwas zu sagen, was deinen Prinzipien widerspricht. Wirst du es sagen oder nicht? Antwortet mir. "Lass mich darüber nachdenken." Wirst du jetzt darüber nachdenken? Aber als du in der Schule warst, worüber hast du da nachgedacht? Hast du nicht gelernt, was gut und was schlecht ist, und was dazwischen liegt? "Ja, das habe ich studiert." Und was war unsere Meinung? "Dass gerechte und ehrenhafte Handlungen gut sind und ungerechte und schändliche Handlungen schlecht sind." Ist das Leben eine gute Sache? "Nein." Ist der Tod etwas Schlechtes? "Nein." Ist es schlecht, im Gefängnis zu sein? "Nein." Aber was ist mit gemeinen und unzuverlässigen Worten, dem Verrat eines Freundes und der Schmeichelei gegenüber einem Tyrannen? "Das wird als schlecht angesehen." Nun denn, du denkst nicht nach, du hast nicht nachgedacht oder überlegt. Was gibt es da zu bedenken? Ist es richtig, dass ich, wenn ich die Möglichkeit habe, mir das größte Gute zu sichern und das größte Übel zu vermeiden? Das ist eine törichte Frage, die viel Nachdenken erfordert. Warum verhöhnst du uns, Mensch? Eine solche Frage wird nie gestellt. Wenn du wirklich glauben würdest, dass niedere Dinge schlecht und ehrenhafte Dinge gut sind, und dass alle anderen Dinge weder gut noch schlecht sind, würdest du diese Frage nicht einmal in Erwägung ziehen. Sie wären in der Lage, sie sofort zu unterscheiden, so wie Sie es mit Ihrem Sehvermögen tun würden. Wenn jemand Sie fragt, ob schwarze Dinge weiß sind, ob schwere Dinge leicht sind, müssten Sie nicht nachdenken, weil die Sinne einen klaren Beweis liefern. Warum denken Sie nun darüber nach, ob Dinge, die weder gut noch schlecht sind, mehr gemieden werden sollten als Dinge, die schlecht sind? Weil du diese Meinungen nicht vertrittst. Und nicht nur, dass Sie diese Dinge weder für gut noch für schlecht halten, sondern Sie

16

glauben, dass sie das größte Übel sind. Du glaubst auch nicht, dass diese anderen Dinge Übel sind, sondern Dinge, die uns gar nichts angehen. Ihr habt euch von Anfang an daran gewöhnt, so zu denken. "Wo bin ich? In den Schulen? Hört man mir zu? Ich spreche unter Philosophen. Aber ich habe die Schule jetzt verlassen. Lass dieses Gerede über Gelehrte und Narren." So wird ein Freund durch den Einfluss eines Philosophen überwältigt. So wird ein Philosoph zum Schmarotzer. So verkauft sich ein Philosoph für Geld. So spricht ein Mensch im Senat nicht seine wahren Gedanken aus, sondern er verkündet seine Meinung im Privaten. Du bist eine schwache und unbedeutende Meinung, die an einem dünnen Faden aus leeren Worten hängt. Machen Sie sich stattdessen stark und nützlich für die praktischen Aspekte des Lebens. Lernen Sie, indem Sie sich in die Tat umsetzen. Wie reagieren Sie? Ich werde Ihnen nicht sagen, dass Ihr Kind tot ist, denn das wäre zu schmerzhaft für Sie, um es zu ertragen. Aber ich werde sagen, dass dein Öl verschüttet und dein Wein ausgetrunken ist. Handle so, dass jemand, der neben dir steht, während du viel Lärm machst, sagen kann: "Philosoph, du sagst in der Schule etwas anderes. Warum betrügst du uns? Warum behauptest du, ein Mensch zu sein, wo du doch nichts weiter als ein Wurm bist? Ich würde gerne dabei sein, wenn ein Philosoph mit einer Frau zusammen ist, damit ich sehen kann, wie sie sich anstrengen und welche Worte sie sprechen. Ich möchte wissen, ob sie sich daran erinnern, dass sie Philosophen sind und welche Worte sie hören, sagen oder lesen.

Und was hat das mit Freiheit zu tun? Es hat alles mit ihr zu tun, ob Sie, die Sie reich sind, es nun wahrhaben wollen oder nicht. Und wer ist Ihr Beweis dafür? Wer sonst als Sie selbst? Ihr habt einen mächtigen Herrn, dem ihr gehorcht, ohne zu fragen, und eine bloße Missbilligung seinerseits genügt, um euch erzittern zu lassen. Ihr kriecht vor alten Männern und Frauen und behauptet: "Ich habe keine Wahl, es liegt außerhalb meiner Kontrolle." Aber warum ist es außerhalb Ihrer Kontrolle? Haben Sie nicht kürzlich mit mir gestritten und darauf bestanden, dass Sie frei sind? "Aber Aprulla hat mich daran gehindert", sagst du. Sag also die Wahrheit, Sklave, und laufe nicht vor deinen Herren weg oder leugne es. Versuche nicht einmal, jemanden zu finden, der für deine Freiheit bürgt, wenn es so viele Beweise für deine Versklavung gibt. Und was ist, wenn die Liebe Sie zwingt, etwas zu tun, womit Sie nicht einverstanden sind, Sie aber nicht die Kraft haben, sich zu widersetzen? In Anbetracht der intensiven und fast göttlichen Kraft der Liebe könnte man das eher verzeihen. Aber welche Entschuldigung gibt es für jemanden wie Sie, der alte Männer und Frauen verehrt? Du putzt ihnen die Nase, wäschst sie, gibst ihnen Geschenke und pflegst sie wie ein Diener, wenn sie krank sind. Und die ganze Zeit über wünschst du dir, sie wären tot und fragst die Ärzte, ob sie dem Tod nahe sind. Und dann küsst ihr die Hände der Sklaven anderer Leute, um prestigeträchtige Positionen und Ehrungen zu erhalten. Du bist also nicht einmal der Sklave eines freien Menschen. Und dann paradierst du vor mir herum und tust so, als wärst du ein edler Prätor oder Konsul. Glaubst du, ich wüsste nicht, wie du Prätor geworden bist und dein Konsulat erhalten hast? Wer hat es dir gegeben? Ich würde lieber sterben, als mit Felicions Hilfe zu leben und seine Arroganz und unterwürfige Frechheit zu ertragen. Ich weiß, wie ein glücklicher Sklave ist, voller Stolz und Selbstgefälligkeit. "Was ist mit dir?", mag jemand fragen, "bist du frei?" Bei den Göttern, ich möchte frei sein, aber ich bin noch nicht in der Lage, mich meinen Herren zu stellen. Ich schätze meinen physischen Körper immer noch, und ich bemühe mich, ihn zu erhalten, auch wenn er nicht ganz mir gehört. Aber lasst mich euch jemanden vorstellen, der wirklich frei ist, so dass ihr nicht länger nach einem Beispiel suchen müsst. Diogenes war frei. Wie war er frei? Nicht, weil er von freien Eltern geboren wurde, sondern weil er sich selbst befreit und alle Fesseln der Sklaverei abgeworfen hatte. Es war für niemanden möglich, sich ihm zu nähern oder ihn zu versklaven. Er hielt alles locker fest, nichts hielt ihn fest. Wenn man ihm etwas wegnahm, ließ er es bereitwillig los und betrachtete es als sein Eigentum. Wenn man sein Bein packte, würde er es loslassen. Wenn man ihm seinen ganzen Körper nimmt, würde er ihn loslassen. Das Gleiche gilt für seine Freunde, sein Land und alles andere. Er wusste, woher sie kamen, wer sie ihm gegeben hatte und unter welchen Bedingungen. Niemals hätte er seine wahren Eltern, die Götter oder seine Heimat im Stich gelassen, und niemals hätte er jemandes Befehle bereitwilliger befolgt als die ihren. Er kümmerte sich nicht darum, was er tun musste, um von anderen geschätzt zu werden; er verstand, dass alles, was er tat, seinem Land diente und dass es von demjenigen befohlen wurde, der es regierte. Bedenken wir, was Diogenes selbst sagte und schrieb: "Deshalb, Diogenes, hast du die Macht, mit dem König von Persien und mit Archidamus, dem König von Sparta, zu sprechen, wie es dir gefällt." War das so, weil er von freien Eltern geboren wurde? Ich vermute, dass alle Athener und Spartaner, die als Kinder von Sklaven geboren wurden, nicht die Freiheit gehabt hätten, mit ihnen zu sprechen, wie sie es wollten; sie hätten sie gefürchtet und umworben. Warum sagt er also, dass er diese Macht hat? "Weil ich meinen niedrigen Körper nicht als mein Eigentum betrachte, weil ich nichts begehre, weil das Gesetz alles für mich ist und nichts anderes zählt." Es sind diese Überzeugungen, die es ihm ermöglichten, wirklich frei zu sein.

Und damit du nicht denkst, dass ich dir das Beispiel eines Menschen zeige, der ein Einzelgänger ist, der weder Frau noch Kinder noch Land noch Freunde noch Verwandte hat, der in verschiedene Richtungen beeinflusst und beeinflusst werden kann, betrachte Sokrates. Er hatte eine Frau und Kinder, aber er betrachtete sie nicht als seine eigenen. Er hatte ein Land, solange es angemessen war, eines zu haben, und auf die Weise, die angemessen war. Er hatte auch Freunde und Verwandte, aber er unterwarf sie alle dem Gesetz und dem Gehorsam, der ihm gebührte. Deshalb war er der erste, der als Soldat ausrückte, wenn es nötig war, und er setzte sich im Krieg bereitwillig großen Gefahren aus. Als er von den Tyrannen ausgesandt wurde, um Leon zu ergreifen, zögerte er nicht einmal, weil er es für eine unehrenhafte Tat hielt und wusste, dass er sterben müsste, wenn er sie ausführte. Aber was machte das für einen Unterschied für ihn? Er wollte etwas anderes bewahren, nicht seinen schwachen Körper, sondern seine Integrität, seinen ehrenhaften Charakter. Das sind Dinge, die nicht angegriffen oder unterworfen werden können. Als er also gezwungen war, sein Leben zu verteidigen, verhielt er sich da wie ein Mann, der Kinder oder eine Frau hatte? Nein, er verhielt sich wie ein Mann, der weder das eine noch das andere hatte. Und was hat er getan, als er Gift trinken sollte und die Möglichkeit hatte, aus dem Gefängnis zu fliehen, und als Krito zu ihm sagte: "Fliehe um deiner Kinder willen"? Was hat Sokrates geantwortet? Hat er die Chance zur Flucht als unerwarteten Gewinn betrachtet? Mitnichten. Er dachte an das, was gerecht und angemessen war, aber er hat nichts anderes in Betracht gezogen oder berücksichtigt. Er sagte, er wolle nicht seinen schwachen Körper retten, sondern das, was durch gerechtes Handeln stark gemacht und bewahrt, durch ungerechtes Handeln aber geschwächt und zerstört wird. Sokrates wird sein Leben nicht durch unehrenhafte Handlungen retten; er weigerte sich, die Athener abstimmen zu lassen, als sie es verlangten, er weigerte sich, den Tyrannen zu gehorchen, und er sprach auf diese Weise über Tugend und rechtes Verhalten. Es ist nicht möglich, das Leben eines Mannes wie ihm durch unehrenhafte Handlungen zu retten, aber er wird gerettet, indem er stirbt, nicht indem er davonläuft. Genauso wie ein guter Schauspieler seinen Ruf bewahrt, indem er aufhört, wenn er aufhören sollte, und nicht über den richtigen Zeitpunkt hinaus weitermacht. Was also sollten die Kinder des Sokrates tun? "Wenn", sagte Sokrates, "ich nach Thessalien gegangen wäre, hättest du dich dann um sie gekümmert? Und wenn ich in die Unterwelt gehe, gibt es dann niemanden, der sich um sie kümmert?" Man beachte, wie er dem Tod einen sanften Namen gibt und ihn verspottet. Aber wenn du und ich in seiner Lage wären, würden wir sofort wie die Philosophen antworten, dass diejenigen, die ungerecht handeln, auf die gleiche Weise vergolten werden müssen, und wir würden hinzufügen: "Ich werde vielen nützlich sein, wenn mein Leben gerettet wird, und wenn ich sterbe, werde ich niemandem nützlich sein." Wenn es nötig gewesen wäre, wären wir durch ein kleines Loch geflüchtet. Und wie hätten wir in diesem Fall jemandem nützlich sein können? Wo wären sie in dieser Situation geblieben? Oder wenn wir den Menschen zu Lebzeiten nützlich waren, wären wir ihnen dann nicht noch nützlicher, wenn wir sterben würden, wenn wir sterben sollten und wie wir sollten? Und jetzt, da Sokrates tot ist, ist sein Andenken für die Menschen nicht weniger nützlich, sondern sogar noch nützlicher. Denkt über diese Dinge, diese Meinungen, diese Worte nach. Denkt über diese Beispiele nach, wenn ihr frei sein wollt, wenn ihr etwas nach seinem wahren Wert begehrt. Und was ist überraschend, wenn man eine so große Sache um den Preis von so vielen Dingen erhält? Manche Menschen erhängen sich für das, was man "Freiheit" nennt, andere stürzen sich von Klippen, und manchmal sind ganze Städte untergegangen. Willst du nicht um der wahren, unangreifbaren und sicheren Freiheit willen Gott das zurückgeben, was er von dir verlangt, das, was er dir gegeben hat? Wollt ihr nicht, wie Plato sagt, nicht nur sterben, sondern auch Folter, Verbannung und Schläge ertragen, mit einem Wort, alles aufgeben, was nicht euer Eigentum ist? Wenn du das nicht tust, wirst du, auch wenn du tausendmal Konsul bist, ein Sklave unter Sklaven sein. Und selbst wenn du in den Palast aufsteigst, wirst du immer noch ein Sklave sein. Und du wirst aus Erfahrung lernen, dass Philosophen vielleicht Worte sprechen, die gegen die allgemeine Meinung gehen, wie auch Cleanthes sagte, aber nicht Worte, die gegen die Vernunft gehen. Du wirst erkennen, dass diese Worte wahr sind und dass Dinge, die man schätzt und nach denen man sich sehnlichst sehnt, wenn man sie einmal erlangt hat, keinen Nutzen mehr haben. Und diejenigen, die sie noch nicht haben, bilden sich ein, dass, wenn sie diese Dinge erlangt haben, alles Gute mit ihnen kommen wird. Aber wenn sie erlangt sind, bleibt das unruhige Gefühl dasselbe, das Verlangen nach Dingen, die nicht vorhanden sind, bleibt dasselbe, das Gefühl, mit diesen Dingen gesättigt zu sein, bleibt dasselbe. Denn die Freiheit wird nicht durch den vollen Besitz der gewünschten Dinge erlangt, sondern durch die Beseitigung des Verlangens nach ihnen. Und damit du weißt, dass dies wahr ist, übertrage deine Arbeit auf diese Dinge, so wie du dich für diese Dinge abgemüht hast. Sei wachsam, um eine Meinung zu erhalten, die dich frei macht. Suche die Gesellschaft eines Philosophen und nicht die eines reichen alten Mannes. Lass dich an der Tür eines Philosophen sehen. Es ist nicht beschämend, dort gesehen zu werden. Du wirst nicht mit leeren Händen oder ohne Gewinn gehen, wenn du zum Philosophen gehst, wie du es solltest, und wenn nicht, dann versuche es wenigstens. Versuchen ist keine Schande.

Von der Lektion...

Lebe so, wie du willst, frei von Zwang, Hindernissen und Angst. Verfolgt eure Wünsche und meidet das, was euch Kummer bereitet, denn wahre Freiheit kommt von innen.

Zur Aktion!

(1) Leben Sie nach Ihren eigenen Wünschen, ohne kontrolliert, behindert oder gezwungen zu werden.

(2) Ergreifen Sie Maßnahmen, die Sie nicht behindern, und erfüllen Sie Ihre Wünsche.

(3) Vermeiden Sie ein Leben voller Fehler, Ungerechtigkeit, Unbeherrschtheit, Unzufriedenheit oder Mittelmäßigkeit.

(4) Erkennen Sie, dass ein unmoralisches Leben nicht mit Ihren wahren Wünschen übereinstimmt und Ihre Freiheit einschränkt.

(5) Vermeiden Sie es, in Traurigkeit, Angst, Neid oder Mitleid zu leben, und streben Sie nach dem, was Sie wirklich wünschen.

(6) Streben Sie danach, Ihre Ziele zu erreichen und vermeiden Sie Dinge, die Sie vermeiden wollen.

(7) Erkennen Sie an, dass wahre Freiheit dadurch entsteht, dass Sie Ihre Wünsche mit dem in Einklang bringen, was Sie kontrollieren können.

(8) Verstehen Sie, dass wahre Freiheit nicht von äußeren Faktoren wie Reichtum, Macht oder sozialem Status abhängig ist.

(9) Erkennen Sie den Unterschied zwischen dem, worauf Sie Einfluss haben, und dem, worauf Sie keinen Einfluss haben, und konzentrieren Sie sich auf das, was Sie kontrollieren können.

(10) Lassen Sie die Anhaftung an den Besitz anderer los und konzentrieren Sie sich auf das, was Ihnen wirklich gehört.

(11) Passen Sie Ihre vorgefassten Meinungen an verschiedene Situationen an und lassen Sie Ihre Wünsche nicht von äußeren Umständen bestimmen.

(12) Richten Sie Ihren Willen nach Gottes Willen aus und nehmen Sie alles, was kommt, als Teil Ihrer Reise an.

(13) Üben Sie sich darin, sich von materiellen Besitztümern zu lösen und verstehen Sie, dass sie nicht wirklich Ihnen gehören.

(14) Lassen Sie die Bindungen an Familie, Freunde und Land los und erkennen Sie, dass die wahre Freiheit darin liegt, sich an Tugend und richtigem Verhalten auszurichten.

(15) Nehmen Sie den Tod als eine Form der Befreiung an und bemühen Sie sich, ein Leben zu führen, das Ihre Integrität und Ehre bewahrt.

(16) Denken Sie über die Lehren und Beispiele von Philosophen wie Diogenes und Sokrates nach, die wahre Freiheit verkörpert haben.

(17) Verstehen Sie, dass die wahre Freiheit aus der Beseitigung des Verlangens kommt, nicht aus dem Erwerb der gewünschten Dinge.

(18) Suchen Sie die Gesellschaft von Philosophen und beteiligen Sie sich an philosophischen Diskussionen, um ein tieferes Verständnis der wahren Freiheit zu erlangen.

KAPITEL 2

— Über familiäre Intimität

Um einen möglichen Ruin zu vermeiden, ist es wichtig, dass Sie sich von den Menschen, denen Sie einst nahe standen, distanzieren und deren schädliche Handlungen nicht mehr mitmachen. Auch wenn es rücksichtslos erscheinen mag, ist es wichtig, daran zu denken, dass die Aufrechterhaltung der gleichen Beziehungen und Verhaltensweisen ihren Preis hat. Sie müssen sich entscheiden, ob Sie von Ihren früheren Freunden geliebt werden und dabei unverändert bleiben oder ob Sie sich überlegen fühlen und ihre Zuneigung aufgeben. Wenn Sie sich für die letztere Option entscheiden, müssen Sie sich voll und ganz auf diese Entscheidung einlassen und alle anderen Überlegungen aufgeben. Ein Hin- und Herschwanken zwischen diesen Möglichkeiten wird Ihren Fortschritt nur behindern und Sie daran hindern, das zu erreichen, was Sie früher genossen haben. Letztlich ist es unmöglich, in beiden Welten zu glänzen. Entscheiden Sie sich also, ob Sie ein angenehmer Gefährte sein wollen, der seinen Lastern frönt, oder ein aufrechter Mensch, der als unangenehm empfunden werden kann. Ebenso können Sie nicht erwarten, dass Sie dasselbe Maß an Liebe und Bewunderung aufrechterhalten, wenn Sie nicht mehr an Aktivitäten teilnehmen, die Sie einst glücklich gemacht haben. Überlegen Sie, ob Bescheidenheit und Ordentlichkeit wichtiger sind, als von Ihrem Umfeld als "lustig" bezeichnet zu werden, und handeln Sie entsprechend. Es ist nicht möglich, so gegensätzliche

Persönlichkeiten zu verschmelzen. Entscheiden Sie also, ob Sie Thersites oder Agamemnon verkörpern wollen, und bedenken Sie, dass jeder seine eigenen körperlichen Merkmale und die damit verbundenen Beziehungen mitbringt.

Die Wahl zwischen Loyalität und persönlichem Wachstum

Bevor Sie sich um andere Dinge kümmern, müssen Sie sich darüber im Klaren sein, dass Sie sich nicht zu sehr mit Ihren ehemaligen Bekannten oder Freunden einlassen sollten, die sich unangemessen verhalten. Wenn Sie diese Regel ignorieren, wird dies zu Ihrem eigenen Untergang führen. Wenn Ihnen jedoch der Gedanke durch den Kopf geht, dass Sie ihnen gegenüber unfreundlich erscheinen könnten und dass sie Sie vielleicht nicht auf die gleiche Weise behandeln, denken Sie daran, dass jede Handlung Konsequenzen hat. Wenn Sie sich entscheiden, nicht dasselbe Verhalten an den Tag zu legen wie sie, werden Sie nicht mehr derselbe Mensch sein, der Sie einmal waren. Sie müssen sich entscheiden, ob Sie von denen geliebt werden wollen, die Sie früher geliebt haben, und dabei Ihrem früheren Selbst treu bleiben wollen, oder ob Sie darüber hinausgehen und nicht die gleiche Behandlung von Ihren Freunden erwarten wollen. Wenn Sie glauben, dass Letzteres die bessere Wahl ist, dann sollten Sie sich dafür entscheiden und sich nicht von anderen Überlegungen ablenken lassen. Es ist unmöglich, voranzukommen, wenn man unentschlossen zwischen zwei entgegengesetzten Entscheidungen ist. Wenn Sie dem wirklich Priorität eingeräumt haben, wenn Sie beschließen, sich nur darauf zu konzentrieren, dann geben Sie alles andere auf. Wenn Sie sich jedoch nicht auf diesen Weg festlegen, wird Ihre Unentschlossenheit dazu führen, dass Sie sich nicht so verbessern, wie Sie sollten, und dass Sie nicht erreichen, was Sie zuvor erreicht haben. In der Vergangenheit haben Sie Ihre Partner zufriedengestellt, indem Sie Dinge von geringem Wert begehrten. Aber Sie können nicht in beiden Bereichen überragend sein, und wenn Sie sich für den einen entscheiden, werden Sie in dem anderen zu kurz kommen. Wenn du nicht mehr mit denen trinkst, mit denen du früher getrunken hast, kannst du nicht mehr so angenehm zu ihnen sein, wie du es früher warst. Entscheiden Sie sich, ob Sie ein starker Trinker sein und angenehme Beziehungen zu Ihren früheren Partnern aufrechterhalten wollen, oder ob Sie sich mäßigen und möglicherweise weniger angenehm für sie werden wollen. Wenn Sie nicht mehr mit denen singen, mit denen Sie früher gesungen haben, können Sie auch nicht erwarten, von ihnen genauso geliebt zu werden. Entscheiden Sie sich auch in dieser Angelegenheit. Wenn es besser ist, bescheiden und brav zu sein, als als Spaßvogel angesehen zu werden, dann geben Sie den Rest auf und distanzieren Sie sich von diesen Menschen. Wenn Sie jedoch das Gegenteil bevorzugen, dann lassen Sie sich ganz darauf ein und verhalten Sie sich entsprechend, auch wenn Sie sich auf unangemessene Beziehungen einlassen. Springen Sie im Theater auf und loben Sie enthusiastisch die Darsteller. Aber solche unterschiedlichen Persönlichkeiten können nicht miteinander vermischt werden. Du kannst nicht sowohl als Thersites als auch als Agamemnon auftreten. Wenn du dich entscheidest, Thersites zu sein, dann sei bereit, körperliche Unvollkommenheiten und die Rolle zu akzeptieren, die sie erfordern. Wenn du dich entscheidest, Agamemnon zu sein, dann strebe nach körperlicher Attraktivität und liebe diejenigen, die dir unterstellt sind.

Von der Lektion...

Entscheiden Sie sich für Ihre Integrität und dafür, von anderen geliebt zu werden, denn wenn Sie zwischen beidem schwanken, werden Sie sich weder verbessern noch das Erreichte wiederholen können.

Zur Aktion!

(1) Vermeiden Sie es, sich an denselben Aktivitäten zu beteiligen wie Ihre früheren Vertrauten oder Freunde.
(2) Erkennen Sie, dass Sie sich selbst schaden können, wenn Sie diese Regel nicht beachten.
(3) Lassen Sie sich nicht von der Angst, unhöflich zu wirken, davon abhalten, Entscheidungen zu treffen, die in Ihrem besten Interesse sind.

(4) Machen Sie sich klar, dass jede Entscheidung mit Kosten verbunden ist und dass Sie nicht erwarten können, dieselbe Person zu bleiben, wenn Sie nicht dieselben Entscheidungen treffen wie zuvor.

(5) Entscheiden Sie, ob es Ihnen wichtiger ist, von Ihren früheren Freunden gleichermaßen geliebt zu werden, oder ob Sie nach persönlicher Entwicklung und Überlegenheit streben.

(6) Wenn Sie sich für Letzteres entscheiden, sollten Sie sich mit ganzem Herzen darauf einlassen und andere Überlegungen beiseite lassen.

(7) Vermeiden Sie es, zwischen gegensätzlichen Optionen hin und her zu schwanken, denn das verhindert Fortschritte und behindert Ihre Fähigkeit, die gewünschten Ergebnisse zu erzielen.

(8) Erkennen Sie, dass das Streben nach Nutzlosigkeit, um Ihren Mitarbeitern zu gefallen, nicht zu Verbesserungen oder dem gleichen Maß an Anerkennung wie zuvor führen wird.

(9) Machen Sie sich klar, dass Sie nicht in beiden gegensätzlichen Verhaltensweisen überragend sein können, und dass es Kompromisse geben wird, wenn es darum geht, wie andere Sie wahrnehmen.

(10) Sie haben die Wahl zwischen der Aufrechterhaltung einer sozialen Identität durch Aktivitäten wie Trinken und Singen mit ehemaligen Partnern oder Nüchternheit und Bescheidenheit.

(11) Akzeptieren Sie, dass Sie, wenn Sie sich für Bescheidenheit, Ordentlichkeit und andere Verhaltensweisen entscheiden, bei denen, die Ihre frühere, nachgiebigere Persönlichkeit schätzten, als unsympathisch gelten könnten.

(12) Entscheiden Sie, ob es sich lohnt, sich von Personen zu trennen, die nicht mit Ihren Werten und Verhaltensentscheidungen übereinstimmen.

(13) Überlegen Sie sich, welche Folgen es hätte, wenn Sie die gegenteiligen Verhaltensweisen annehmen würden, z. B. ein Katamane oder ein Ehebrecher zu werden, und wägen Sie ab, ob sie mit Ihren wahren Wünschen übereinstimmen.

(14) Machen Sie sich klar, dass es unmöglich ist, unterschiedliche Persönlichkeiten und Verhaltensweisen zu vereinen, und dass Sie

sich für einen konsistenten und authentischen Charakter entscheiden müssen.

(15) Wenn Sie danach streben, wie Thersites zu sein, sollten Sie sich die körperlichen Eigenschaften und Merkmale zu eigen machen, die mit ihm in Verbindung gebracht werden, wie z. B. einen Buckel und eine Glatze zu haben.

(16) Wenn Sie wie Agamemnon sein wollen, streben Sie nach körperlicher Attraktivität, Größe und der Fähigkeit, diejenigen zu führen und zu lieben, die Ihnen gehorsam sind.

KAPITEL 3

— Welche Dinge wir gegen andere Dinge eintauschen sollten

Bewahren Sie Ihren Charakter mit unerschütterlicher Entschlossenheit, indem Sie sich ein grundlegendes Prinzip zu eigen machen: Wenn Sie etwas Äußeres verlieren, überlegen Sie, was Sie stattdessen gewinnen. Ganz gleich, ob es sich um einen wertvollen Besitz handelt, um den Ersatz eines Lasters durch eine Tugend oder um den Austausch eines Moments der Stille gegen ein müßiges Gespräch - erkennen Sie, dass diese Errungenschaften einen unschätzbaren Wert haben. Hüten Sie sich vor der Vergänglichkeit von Gelegenheiten und der ständigen Versuchung, von der Vernunft abzuweichen. Um dein wahres Wesen zu bewahren, bleibe wachsam in deinem Streben nach Bescheidenheit, Treue und Ruhe, denn diese Eigenschaften sind der Inbegriff von Freiheit und sollten nicht einfach gegen etwas Minderwertiges eingetauscht werden. Lasst euch von diesen Worten leiten, denn sie übertreffen jedes menschliche Dekret und geben uns die Gesetze, nach denen wir leben sollen.

> **Zufriedenheit und Charakter im Angesicht von Verlust und Versuchung bewahren**

Behalten Sie diesen Gedanken im Hinterkopf: Wenn Sie etwas Äußeres verlieren, denken Sie daran, was Sie stattdessen gewinnen. Und wenn es mehr wert ist, sage nie: "Ich habe einen Verlust erlitten." Ob du nun einen Esel durch ein Pferd oder ein Schaf durch einen Ochsen ersetzt hast, oder ein bisschen Geld durch eine gute Tat, oder müßiges Gerede durch die Ruhe, die einem Mann gebührt, oder unzüchtiges Gerede durch den Erwerb von Bescheidenheit - wenn du dich daran erinnerst, wirst du deinen Charakter immer so bewahren, wie er sein sollte. Wenn du das aber nicht tust, musst du erkennen, dass dir die Möglichkeiten entgleiten und dass alle Bemühungen, die du in dich selbst gesteckt hast, umsonst waren und zunichte gemacht werden. Es genügt eine kleine Abweichung von der Vernunft, um alles zu verlieren und umzuwerfen. So wie der Steuermann eines Schiffes nicht die gleichen Werkzeuge braucht, um ein Schiff zum Kentern zu bringen, so braucht er auch nicht die gleichen Werkzeuge, um ein Schiff zu retten, wenn er es nur ein wenig gegen den Wind dreht. Und wenn der Steuermann dies nicht absichtlich tut, sondern seine Pflicht auch nur ein wenig vernachlässigt hat, ist das Schiff verloren. Ähnlich verhält es sich auch in diesem Fall - wenn Sie auch nur ein bisschen nachlassen, ist alles, was Sie bisher gesammelt haben, verloren. Achten Sie also auf den Schein und bewahren Sie ihn. Denn was Sie zu bewahren haben, ist keine Kleinigkeit, es ist Bescheidenheit, Treue, Beständigkeit, Gefühlsfreiheit, ein ruhiger und ungestörter Gemütszustand, Angstfreiheit, Gelassenheit - mit anderen Worten: "Freiheit". Was würden Sie gegen all diese Dinge eintauschen? Bedenken Sie den Wert der Dinge, die Sie im Gegenzug erhalten werden. "Aber werde ich denn gar nichts dafür bekommen?" Schauen Sie, und wenn Sie etwas als Gegenleistung erhalten, überlegen Sie, was Sie stattdessen bekommen. "Ich besitze Anstand, während er ein Tribunat besitzt; er besitzt ein Prätorium, aber ich besitze Bescheidenheit. Aber ich werde keine Bewunderung äußern, wo sie nicht angebracht ist; ich werde nicht aufstehen, wo ich nicht aufstehen sollte, denn ich bin frei und ein Freund Gottes, also gehorche ich ihm gerne. Aber ich sollte auf nichts anderes Anspruch erheben - nicht auf meinen Körper, nicht auf meinen Besitz, nicht auf eine Autoritätsposition, nicht auf einen guten Ruf, eigentlich auf gar nichts. Denn er erlaubt mir nicht, sie zu beanspruchen. Wenn er es gewollt hätte, hätte er sie für mich vorteilhaft gemacht, aber er hat es nicht getan, und deshalb kann ich seine Gebote nicht übertreten." Bewahre in allem dein eigenes Wohl und sei mit allem anderen zufrieden, solange du dich im Einklang mit der Vernunft verhältst. Wenn du das nicht tust, wirst du unglücklich sein, du wirst in allem scheitern, du wirst behindert, du wirst blockiert werden. Dies sind die Gesetze, die von oben gesandt wurden; dies sind die Gebote. Ein Mensch sollte diese Gesetze interpretieren und sich ihnen unterwerfen, nicht den Gesetzen von Masurius und Cassius.

Von der Lektion...

Denken Sie daran, dass der wahre Wert in Eigenschaften wie Bescheidenheit, Treue, Beständigkeit, Furchtlosigkeit und Gelassenheit liegt. Daher sollten Sie diese Aspekte Ihrer Persönlichkeit über alles andere stellen und bewahren.

Zur Aktion!

(1) Denken Sie daran: Wenn Sie etwas Äußeres verlieren, konzentrieren Sie sich darauf, was Sie stattdessen gewinnen, und wenn es von größerem Wert ist, betrachten Sie es nicht als Verlust.

(2) Denken Sie nicht daran, ein Pferd als Ersatz für einen Esel oder einen Ochsen als Ersatz für ein Schaf zu erwerben, denn jedes hat seinen eigenen Wert.

(3) Schätzen Sie gute Taten mehr als materielle Besitztümer oder leeres Gerede, und schätzen Sie die Ruhe, die aus tugendhaftem Verhalten entsteht.

(4) Denken Sie daran, dass der Erwerb von Bescheidenheit wertvoller ist als anzügliches Gerede.

(5) Streben Sie stets danach, Ihren Charakter so zu erhalten, wie er sein sollte, indem Sie diese Grundsätze befolgen.

(6) Erkennen Sie, dass Gelegenheiten flüchtig sind und dass alle Bemühungen um Selbstverbesserung umsonst sind, wenn Sie von der Vernunft abweichen.

(7) So wie eine kleine Abweichung von der Vernunft zum Verlust eines Schiffes führen kann, kann eine kurze Unaufmerksamkeit dazu führen, dass Sie alles verlieren, wofür Sie gearbeitet haben.

(8) Achten Sie auf Äußerlichkeiten und seien Sie wachsam, um Ihre Bescheidenheit, Treue, Beständigkeit, Freiheit von negativen

Emotionen, einen ungestörten Geisteszustand, Freiheit von Angst, Ruhe und allgemeine Freiheit zu bewahren.

(9) Überlegen Sie, welchen Wert das, was Sie zu bewahren haben, hat, und vergleichen Sie ihn mit dem, was Sie im Gegenzug erhalten könnten.

(10) Lassen Sie sich nicht von äußeren Errungenschaften oder Besitztümern beeinflussen, denn was wirklich zählt, ist Ihr eigener Anstand und die Befolgung von Gottes Geboten.

(11) Begnüge dich damit, dich in allen anderen Angelegenheiten, wie es erlaubt ist, nach der Vernunft zu verhalten, und versuche nicht, etwas über das Notwendige hinaus zu fordern oder zu besitzen.

(12) Verstehen, dass Gottes Gebote und Gesetze Vorrang haben und befolgt werden sollten, und nicht die von Einzelpersonen erlassenen Gesetze.

(13) Seien Sie ein Ausleger dieser Gesetze und unterwerfen Sie sich ihnen, denn ihre Missachtung führt zu Unglück, Hindernissen und behindertem Fortschritt.

KAPITEL 4

— Für diejenigen, die das Leben in Ruhe verbringen wollen

U m das Wesen unserer Wünsche und ihre Auswirkungen auf unser Freiheitsgefühl zu verstehen, ist es wichtig zu erkennen, dass es nicht nur das Streben nach Macht und materiellem Besitz ist, das uns anderen untertan macht. Auch die Sehnsucht nach Ruhe, Freizeit, Reisen und Wissen kann uns äußeren Einflüssen unterwerfen. Unabhängig vom konkreten Objekt der Begierde hängt unsere Unterwerfung letztlich davon ab, wie viel Wert wir ihm beimessen. Diese Diskrepanz der Wünsche wird deutlich, wenn man den Unterschied zwischen dem Streben nach politischer Macht und der Zufriedenheit mit dem Privatleben betrachtet oder zwischen dem Gefühl, durch die Pflicht zum Studium eingeschränkt zu sein, und dem Gefühl, der Möglichkeit beraubt zu sein, in der Freizeit zu lesen. Es stellt sich also die Frage: Welchem Zweck dient das Lesen? Wird es nur zum Vergnügen oder zum oberflächlichen Lernen betrieben, zeugt es von mangelndem Engagement und der Unfähigkeit, den Anforderungen einer echten Anstrengung standzuhalten. Wird das Lesen jedoch mit der Absicht betrieben, ein ruhiges und erfülltes Leben zu führen, wird es zu einem Katalysator für persönliches Wachstum und Zufriedenheit. Wenn das Lesen jedoch nicht zu einem solchen Leben beiträgt, müssen sein Wert und sein Nutzen hinterfragt werden. Auf der Suche nach Ruhe und Glück können verschiedene äußere Faktoren unseren Fortschritt behindern, sei es Cäsar, ein Freund von Cäsar, eine Krähe, ein Pfeifer, ein Fieber oder unzählige andere Umstände. Die wesentlichen Zutaten für ein heiteres und freudiges Leben liegen also in der Aufrechterhaltung eines kontinuierlichen Zustands der Freiheit von Hindernissen. Geleitet von diesem Verständnis kann man jede Situation mit Bescheidenheit, Standhaftigkeit und Loslösung von äußeren Wünschen und Abneigungen angehen und sich stattdessen auf menschliche Interaktionen, Selbstbeobachtung und Selbstverbesserung konzentrieren. Indem man sich der Reflexion und Selbsteinschätzung widmet, kann man vergangene Verfehlungen aufgeben und eine tugendhafte Lebensweise kultivieren. Es ist von entscheidender Bedeutung, in allen Aspekten des Lebens konsequent zu bleiben, sei es im Umgang mit Personen von hohem gesellschaftlichen Ansehen wie Cäsar oder mit einfachen Menschen. Indem man Störungen, Angst und Bewunderung, die durch äußere Umstände ausgelöst werden, vermeidet, kann man ein Gefühl der Erfüllung und des Ziels erreichen. Letztendlich sollten Bücher als Mittel zur Vorbereitung auf das Leben betrachtet werden und nicht als Selbstzweck. Das Leben hat viele Facetten, die über das intellektuelle Streben hinausgehen, so wie ein Sportler nicht über den Mangel an Bewegung außerhalb des Stadions klagt. Auch im Bereich der Zustimmung ist es wichtig, zwischen verständlichen und unverständlichen Erscheinungen zu unterscheiden, anstatt sich nur auf theoretisches Wissen zu verlassen. Unsere Missverständnisse und unproduktiven Handlungen rühren daher, dass wir das Lesen und Schreiben nicht so angehen, dass wir unser Handeln harmonisch auf den natürlichen Fluss des Lebens abstimmen können. Stattdessen beschränken wir unser Verständnis oft auf die Aneignung von Wissen und die Fähigkeit, es wiederzukäuen, und konzentrieren uns zu sehr auf Syllogismen und logische Konstruktionen. Diese enge Sichtweise beschränkt unser Wachstum auf den Bereich des Studiums und hindert uns daran, die gewonnene Weisheit in unser tägliches Leben zu integrieren. Das wahre Hindernis liegt in den Grenzen unserer eigenen Gelehrsamkeit.

Der Schlüssel zu Glücklichsein und Zufriedenheit

Denken Sie daran, dass nicht nur das Streben nach Macht und Reichtum uns gemein und unterwürfig macht, sondern auch das Streben nach Ruhe, Freizeit, Reisen und Lernen. Im Klartext: Was auch immer wir an Äußerlichkeiten schätzen, macht uns anderen untertan. Worin besteht also der Unterschied zwischen dem Wunsch, Senator zu werden, und dem Wunsch, es nicht zu werden? Was ist der Unterschied zwischen dem Wunsch nach Macht und der Zufriedenheit mit einem privaten Posten? Was ist der Unterschied zwischen der Aussage: "Ich bin unglücklich, ich habe nichts zu tun, aber ich bin an meine Bücher gebunden wie eine Leiche" oder der Aussage: "Ich bin unglücklich, ich habe keine Muße zum Lesen"? Genauso wie Grüße und Macht etwas Äußeres sind, das von unserem Willen unabhängig ist, ist es auch ein Buch. Warum wollen Sie lesen? Sagen Sie es mir. Wenn Ihr Ziel nur darin besteht, unterhalten zu werden oder etwas zu lernen, sind Sie ein törichter Mensch, der harte Arbeit nicht ertragen kann. Aber wenn du das Lesen auf das richtige Ziel ausrichtest, ist das dann nicht ein friedliches und glückliches Leben? Wenn das Lesen Ihnen kein glückliches und friedliches Leben beschert, wozu ist es dann gut? "Aber es bringt mir ein glückliches und friedliches Leben", antwortet die Person, "und deshalb bin ich verärgert, wenn es mir vorenthalten wird." Was für ein ruhiges und glückliches Leben kann nicht nur durch Cäsar oder Cäsars Freund gestört werden, sondern auch durch eine Krähe, einen Pfeifer, ein Fieber oder dreißigtausend andere Dinge? Ein ruhiges und glückliches Leben zeichnet sich durch Kontinuität und Freiheit von Hindernissen aus. Wenn ich nun zu etwas gerufen werde, gehe ich mit der Absicht, die Maßnahmen zu befolgen, die ich befolgen muss, und handle mit Bescheidenheit und Standhaftigkeit, ohne Verlangen oder Abneigung gegenüber äußeren Dingen. Ich werde auch auf die Menschen achten, wie sie sprechen und wie sie sich bewegen. Nicht in böser Absicht, um sie zu tadeln oder lächerlich zu machen, sondern ich werde mich an mich selbst wenden und mich fragen, ob auch ich dieselben Fehler begehe. "Wie kann ich sie dann abstellen?" Früher habe ich auch falsch gehandelt, aber jetzt tue ich es nicht mehr, Gott sei Dank. Wenn Sie also diese Dinge getan und darauf geachtet haben, haben Sie dann etwas Schlimmeres getan, als tausend Verse zu lesen oder ebenso viele zu schreiben? Wenn du isst, bist du dann verärgert, weil du nicht liest? Bist du nicht damit zufrieden, nach dem zu essen, was du durch das Lesen gelernt hast, genauso wie mit dem Baden und der Bewegung? Warum handeln Sie dann nicht in allen Dingen konsequent, sowohl wenn Sie sich Caesar nähern als auch wenn Sie sich anderen nähern? Wenn du deine innere Ruhe bewahrst, frei von Aufregung und Zweifeln bleibst und standhaft bleibst, wenn du dich auf die Dinge konzentrierst, die geschehen und getan werden, anstatt dich zu sehr mit dir selbst zu beschäftigen, wenn du diejenigen nicht beneidest, die dir vorgezogen werden, wenn die äußeren Umstände dich nicht mit Angst oder Bewunderung erfüllen, was brauchst du dann noch? Bücher? Wie und zu welchem Zweck? Ist das nicht nur eine Vorbereitung auf das Leben? Und besteht das Leben selbst nicht aus anderen Dingen als diesem? Das ist so, als würde ein Sportler weinen, wenn er das Stadion betritt, weil er außerhalb des Stadions nicht trainiert. Der Zweck des Übens ist genau dieser Moment des Handelns. Es ist so, als ob wir, wenn es um das Thema der Zustimmung zu Erscheinungen geht, von denen einige verstanden werden können und andere nicht, uns dafür entscheiden, nicht zwischen ihnen zu unterscheiden und stattdessen lieber über das Verstehen zu lesen.

Warum ist dies der Fall? Der Grund dafür ist, dass wir nie mit der Absicht gelesen oder geschrieben haben, das Wissen in einer Weise zu nutzen, die mit den Prinzipien der Natur übereinstimmt. Stattdessen haben wir uns darauf konzentriert, Informationen auswendig zu lernen, sie anderen erklären zu können und logische Argumentationstechniken zu beherrschen. Genau hier liegt unser Problem - unser Studium ist auf diese oberflächlichen Ziele ausgerichtet.

Wollen Sie wirklich nach Dingen streben, die sich Ihrer Kontrolle entziehen? Wenn ja, dann müssen Sie damit rechnen, auf Hindernisse zu stoßen, behindert zu werden und schließlich beim Erreichen des gewünschten Ergebnisses zu scheitern. Wenn unser Ziel beim Lesen jedoch darin besteht, Einsichten darüber zu gewinnen, wie wir tugendhaft handeln können, wenn wir über Verlangen und Abneigung lesen, um nicht von unseren Wünschen verzehrt zu werden oder in das zu fallen, was wir vermeiden wollen, und wenn wir über Pflicht lesen, um rationale Entscheidungen auf der Grundlage unserer Beziehungen zu anderen zu treffen, dann sollten wir uns nicht durch Unterbrechungen beim Lesen stören lassen. Stattdessen sollten wir uns damit begnügen, in Übereinstimmung mit diesen Lehren zu leben. Wir sollten uns nicht darauf konzentrieren, zu zählen, wie viel wir gelesen oder geschrieben haben, sondern wie gut wir diese Grundsätze auf unser Handeln angewendet haben. Wir sollten darüber nachdenken, ob wir so gehandelt haben, wie die Philosophen es uns gelehrt haben - ohne uns von Wünschen leiten zu lassen, nur das zu vermeiden, was in unserer Macht steht, uns nicht von der Angst vor anderen beeinflussen zu lassen und Geduld, Selbstbeherrschung und Zusammenarbeit zu zeigen. Lasst uns Gott für das dankbar sein, was wirklich unsere Dankbarkeit verdient.

Aber jetzt wissen wir nicht, dass wir auch auf andere Weise wie die vielen sind. Ein anderer hat Angst, dass er keine Macht haben wird; du hast Angst, dass du Macht haben wirst. Tu das nicht, mein Mann; sondern wie du den verspottest, der Angst hat, keine Macht zu haben, so verspotte auch dich selbst. Denn es macht keinen Unterschied, ob du durstig bist wie ein Mann, der Fieber hat, oder ob du Angst vor Wasser hast wie ein Verrückter. Oder wie willst du noch sagen können, wie Sokrates: "Wenn es Gott gefällt, so soll es sein"? Glaubst du, dass Sokrates, wenn er seine freie Zeit gerne im Lyzeum oder in der Akademie verbracht und sich mit jungen Männern zwanglos unterhalten hätte, bereitwillig so oft in Kriegszügen gedient hätte; und hätte er nicht geklagt und gestöhnt: "Elend bin ich; ich muss jetzt hier elend sein, während ich mich im Lyzeum vergnügen könnte"? Aber war es deine Absicht, dich zu vergnügen? Und ist es nicht dein Ziel, glücklich zu sein, frei von Hindernissen, frei von Hemmnissen zu sein? Und hätte er noch Sokrates sein können, wenn er auf diese Weise geklagt hätte: wie hätte er in seinem Gefängnis noch Lobreden schreiben können?

Kurz gesagt, denken Sie daran: Alles, was Sie mehr schätzen als Ihren eigenen Willen, ist etwas, wofür Sie Ihren Willen tatsächlich zerstört haben. Diese Dinge liegen jedoch nicht unter der Kontrolle des Willens. Sie liegen nicht nur außerhalb unserer Kontrolle, sondern sind auch von äußeren Umständen abhängig - nicht nur von unserem Beruf, sondern auch von dem, was wir in unserer Freizeit tun.

"Muss ich jetzt in diesem Tumult leben?" Warum bezeichnen Sie es als tumultartig? "Ich meine unter vielen Menschen." Wo liegt denn da die Schwierigkeit? Stellen Sie sich vor, Sie sind bei Olympia - stellen Sie sich vor, es ist eine festliche Zusammenkunft, bei der jeder spricht, verschiedene Dinge tut und sich manchmal gegenseitig schubst. In einem überfüllten Badehaus herrscht eine ähnlich chaotische Atmosphäre. Wer von uns genießt nicht diese Art von Zusammenkunft und kann sich nur schwer davon trennen? Seien Sie nicht zu anspruchsvoll oder übermäßig wählerisch, was das Geschehen angeht.

"Manche Dinge sind unangenehm, wie Essig, weil er scharf ist; Honig, weil er meine Verdauung stört; und Gemüse, weil ich es einfach nicht mag. Ähnlich: "Ich mag es nicht, Freizeit zu haben; sie fühlt sich leer an. Ich mag es nicht, in einer Menschenmenge zu sein; es fühlt sich chaotisch an." Wenn die Umstände Sie jedoch dazu zwingen, allein oder mit nur wenigen Menschen zu leben, betrachten Sie dies als Frieden und nutzen Sie diese Zeit so, wie Sie es tun sollten: Beschäftigen Sie sich mit Selbstreflexion, üben Sie sich in Ihren Prinzipien und kultivieren Sie Ihre Wahrnehmungen. Wenn du dich in einer Menschenmenge befindest, betrachte sie als eine festliche Zusammenkunft, eine Feier, ein Fest, und versuche, sie mit anderen Menschen zu genießen. Was könnte für jemanden, der die Menschheit liebt, ein erfreulicherer Anblick sein als eine Gruppe von Menschen? Wir erfreuen uns am Anblick von Pferde- oder Rinderherden; wir freuen uns über den Anblick zahlreicher Schiffe. Warum also sollte der Anblick vieler Menschen Unbehagen auslösen?

"Aber ihre Stimmen sind überwältigend." Dann ist Ihr Gehör beeinträchtigt. Aber was bedeutet das für Sie? Ist Ihre Fähigkeit, die äußeren Umstände zu nutzen, beeinträchtigt? Wer hindert Sie daran, Ihre Vorlieben und Abneigungen, Ihre Neigungen und Abstoßungen naturgemäß zu nutzen? Was kann das Chaos Sie wirklich daran hindern zu tun?

Behalten Sie nur die allgemeinen Regeln im Kopf: "Was gehört mir, was gehört mir nicht, was ist mir gegeben, was will Gott, dass ich jetzt tue? Was will er nicht?" Kurz zuvor wollte er, dass Sie Muße haben, mit sich selbst zu reden, über diese Dinge zu schreiben, zu lesen, zu hören, sich vorzubereiten. Dazu hattest du genügend Zeit. Jetzt sagt er zu dir: "Komm jetzt zum Wettkampf; zeige uns, was du gelernt hast, wie du die sportliche Kunst geübt hast. Wie lange wirst du allein trainieren? Jetzt hast du die Gelegenheit zu erfahren, ob du ein siegreicher Athlet bist oder einer von denen, die durch die Welt gehen und besiegt werden." Warum bist du dann verärgert? Kein Wettkampf ist ohne Verwirrung. Es gibt viele, die sich für die Wettkämpfe trainieren, viele, die denen zurufen, die sich trainieren, viele Meister, viele Zuschauer. "Aber mein Wunsch ist es, in Ruhe zu leben." So klage und stöhne, wie du es verdienst. Denn welche andere Strafe ist größer als diese für den Ungelehrten und für den, der die göttlichen Gebote missachtet: betrübt zu sein, zu klagen, zu neiden, mit einem Wort, enttäuscht und unglücklich zu sein? Würdest du dich nicht von diesen Dingen befreien? "Und wie soll ich mich befreien?" Habt ihr nicht schon oft gehört, dass ihr euch von allen Wünschen befreien sollt, dass ihr die Abneigung nur auf die Dinge anwenden sollt, die in eurer Macht stehen, dass ihr alles aufgeben sollt, Körper, Besitz, Ruhm, Bücher, Tumult, Macht, private Stellung? Denn wohin du dich auch wendest, du bist ein Sklave, du bist unterworfen, du bist behindert, du bist gezwungen, du bist ganz in der Macht der anderen. Aber halte die Worte des Cleanthes bereit: "Führe mich, o Zeus, und du bist notwendig." Ist es Euer Wille, dass ich nach Rom gehe? Ich werde nach Rom gehen. Nach Gyara? Ich werde nach Gyara gehen. Ich soll nach Athen gehen? Ich werde nach Athen gehen. Ins Gefängnis? Ich werde ins Gefängnis gehen. Wenn du einmal sagst: "Wann soll ein Mann nach Athen gehen?", bist du verloren. Es ist eine notwendige Konsequenz, dass dieser Wunsch, wenn er nicht erfüllt wird, dich unglücklich machen muss; und wenn er erfüllt wird, muss er dich eitel machen, weil du dich über Dinge freust, über die du dich nicht freuen solltest; und andererseits, wenn du daran gehindert wirst, muss er dich unglücklich machen, weil du in das hineinfällst, in das du nicht hineinfallen willst. Gebt also all diese Dinge auf. "Athen ist ein guter Ort." Aber das Glück ist viel besser; und frei zu sein von Leidenschaften, frei von Unruhen, damit deine Angelegenheiten von keinem Menschen abhängen. "In Rom gibt es Tumult und Besuche der Begrüßung." Aber Glück ist ein Äquivalent für alle lästigen Dinge. Wenn also die Zeit für diese Dinge kommt, warum nimmst du nicht den Wunsch, sie zu vermeiden? Welche Notwendigkeit gibt es, eine Last zu tragen wie ein Esel und mit einem Stock geschlagen zu werden, um sie zu vermeiden? Aber wenn du es nicht tust, bedenke, dass du immer ein Sklave dessen sein wirst, der die Macht hat, dich zu befreien und dich auch aufzuhalten, und du wirst ihm als böser Genius dienen müssen.

Es gibt nur einen Weg zum Glück, und diese Regel soll sowohl am Morgen, am Tag als auch in der Nacht gelten: Die Regel besteht darin, sich nicht auf Dinge zu konzentrieren, die außerhalb unserer Kontrolle liegen, zu verstehen, dass nichts wirklich uns gehört, alles der Gottheit und dem Glück zu überlassen, sie als die Verwalter dieser Dinge zu betrachten, so wie Zeus es beabsichtigt hat. Der Mensch sollte nur dem Aufmerksamkeit schenken, was er unter Kontrolle hat, was nicht verhindert werden kann. Wenn wir lesen, sollten wir uns nur darauf konzentrieren, ebenso wenn wir schreiben und zuhören.

Deshalb kann ich jemanden nicht als fleißig betrachten, wenn er nur sagt, dass er liest und schreibt; selbst wenn er behauptet, die ganze Nacht zu lesen, beeindruckt mich das nicht, wenn er nicht weiß, wie er das Gelesene anwenden soll. Ich würde niemanden als fleißig bezeichnen, der für ein Mädchen wach bleibt, und Sie würden das auch nicht tun. Wenn sie es jedoch um des Ansehens willen tun, dann sind sie einfach Liebhaber des Ansehens. Wenn er es für Geld tut, dann ist er ein Liebhaber des Geldes, nicht der harten Arbeit. Und wenn sie es aus Liebe zum Lernen tun, dann sind sie ein Liebhaber des Lernens. Aber wenn sie ihre Bemühungen auf ihre eigene leitende Kraft ausrichten, um sich mit der Natur in Einklang zu bringen und ihr Leben entsprechend zu leben, dann würde ich sie als fleißig bezeichnen.

Lobe jemanden nicht für die Dinge, die allen gemeinsam sind, sondern für seine Überzeugungen, denn diese bestimmen, ob sein Handeln gut oder schlecht ist. Erinnere dich an diese Grundsätze, finde Freude an der Gegenwart und sei zufrieden mit dem, was zu gegebener Zeit kommt. Wenn Sie in Ihrem Leben auf etwas stoßen, das Sie gelernt und erforscht haben, seien Sie dafür dankbar. Wenn Sie negative Eigenschaften wie Unhöflichkeit, Obszönität, Hastigkeit, Faulheit losgelassen oder reduziert haben und wenn Sie nicht mehr von den Dingen so betroffen sind wie früher, dann können Sie ein tägliches Fest feiern: heute, weil Sie sich in einem Aspekt gut verhalten haben, und morgen, weil Sie sich in einem anderen gut verhalten haben. Ist das nicht ein größerer Grund zum Feiern als ein Konsulat oder ein Amt in einer Provinzregierung? Diese Dinge kommen aus deinem Inneren und von den Göttern. Denken Sie daran: Wer gibt Ihnen diese Dinge, an wen und zu welchem Zweck. Wenn du an diesen Gedanken festhältst, glaubst du dann immer noch, dass es darauf ankommt, wo du glücklich wirst oder wo du Gott gefällst? Sind die Götter nicht an allen Orten gleichermaßen präsent? Sehen sie nicht alles, was geschieht, von jeder Ecke aus?

Von der Lektion...

Konzentrieren Sie sich darauf, ein ruhiges und glückliches Leben zu führen, indem Sie sich auf innere Tugenden und nicht auf äußere Besitztümer oder Errungenschaften konzentrieren.

Zur Aktion!

(1) Überlegen Sie, wie Wünsche wie Macht, Reichtum, Ruhe, Freizeit und Lernen uns anderen unterwerfen und unsere Freiheit einschränken können.

(2) Erkennen Sie, dass äußere Dinge und der Wert, den wir ihnen beimessen, unser Maß an Unterordnung gegenüber anderen bestimmen können.

(3) Verstehen Sie, dass der Wunsch nach äußeren Dingen, wie Senator zu sein oder Macht zu haben, nicht unbedingt zu einem glücklichen und ruhigen Leben führt.

(4) Überprüfen Sie den Zweck des Lesens und vergewissern Sie sich, dass er mit dem Ziel, ein ruhiges und glückliches Leben zu führen, übereinstimmt.

(5) Erkennen Sie, dass ein ruhiges und glückliches Leben nicht durch äußere Faktoren behindert wird, sondern vielmehr durch unsere eigene Kontinuität und Freiheit von Hindernissen.

(6) Die eigenen Handlungen und Verhaltensweisen vorrangig zu beobachten und zu analysieren, anstatt sich darauf zu konzentrieren, andere zu kritisieren oder lächerlich zu machen.

(7) Streben Sie in allen Lebensbereichen, ob im Umgang mit Caesar oder anderen Menschen, nach Beständigkeit, indem Sie einen Zustand der Ruhe und Freiheit von äußeren Einflüssen aufrechterhalten.

(8) Verstehen Sie, dass Lesen und Studieren kein Selbstzweck sein sollte, sondern eine Vorbereitung auf ein Leben im Einklang mit der Natur.

(9) Nehmen Sie die Chancen und Herausforderungen an, die sich in verschiedenen Situationen bieten, sei es in einer überfüllten Umgebung oder in der Einsamkeit.

(10) Vermeiden Sie es, in Bezug auf äußere Umstände zu wählerisch oder zu anspruchsvoll zu sein, und lernen Sie, sich anzupassen und in verschiedenen Situationen Freude zu finden.

(11) Denken Sie daran, sich auf die Anwendung philosophischer Grundsätze in der Praxis zu konzentrieren und nicht nur Wissen um des Wissens willen zu suchen.

(12) Erkennen Sie, dass der wahre Wert darin liegt, im Einklang mit der Natur zu leben, frei von Leidenschaften und Störungen zu sein und sich für das Glück nicht auf äußere Faktoren zu verlassen.

(13) Geben Sie den Wunsch nach Dingen auf, die sich unserer Kontrolle entziehen, wie Macht, Freizeit und private Verhältnisse, und konzentrieren Sie sich stattdessen auf das, was in unserer Macht steht.

(14) Herausforderungen und schwierige Umstände als Chance für Wachstum und Verbesserung zu akzeptieren, anstatt über unsere persönlichen Vorlieben zu lamentieren.

(15) Prüfen Sie unsere Wünsche und Abneigungen und vergewissern Sie sich, dass sie mit dem übereinstimmen, was in unserer Kontrolle liegt und mit der Natur übereinstimmt.

(16) Erinnern Sie sich daran, dass unsere Handlungen von unserer eigenen herrschenden Kraft geleitet werden sollten, indem wir versuchen, einen Geisteszustand aufrechtzuerhalten, der in allen Aspekten des Lebens mit der Natur in Einklang steht.

(17) Erfreuen Sie sich an den gegenwärtigen Momenten und geben Sie sich mit dem zufrieden, was auf uns zukommt, indem Sie Freude an der Anwendung philosophischer Grundsätze im Alltag finden.

(18) Feiern Sie kleine Siege und Verbesserungen in unserem Verhalten und unserer Einstellung und erkennen Sie deren Bedeutung und den Fortschritt an, den sie darstellen.

KAPITEL 5

— Gegen die Streitsüchtigen und Grausamen

In seinem Streben nach Weisheit und Tugend bleibt der weise und gute Mensch standhaft in seinem Engagement für die Nichtkonfrontation und Konfliktvermeidung. Sokrates, ein bemerkenswertes Vorbild, vermied nicht nur selbst Streit, sondern widmete seine Bemühungen auch der Beilegung von Streitigkeiten unter anderen. Seine Fähigkeit, herausfordernde Personen zu tolerieren, einschließlich seiner eigenen Frau und seines Sohnes, beruhte auf seiner Einsicht, dass man die Handlungen oder Überzeugungen anderer Menschen nicht kontrollieren kann. Stattdessen konzentriert sich der weise und gute Mann darauf, seinen eigenen Sinn für Harmonie mit der Natur zu bewahren und anderen die Freiheit zu lassen, so zu handeln, wie sie es wollen. Diese unerschütterliche Hingabe an die persönliche Integrität und das Streben nach einem tugendhaften Leben leitet den weisen und guten Menschen bei jeder Entscheidung, so dass Kämpfe und Streitigkeiten ohne Zweck und Notwendigkeit sind.

> **Die Bedeutung der Aufrechterhaltung des inneren Friedens und der Vermeidung von Konflikten**

Der weise und gute Mensch kämpft weder selbst mit jemandem, noch lässt er andere kämpfen, wenn er es verhindern kann. Ein Beispiel dafür und auch für andere Dinge ist das Leben von Sokrates.

Er vermied nicht nur selbst Streit, sondern hinderte auch andere daran, sich zu streiten. In Xenophons Symposion können wir sehen, wie viele Streitigkeiten er beigelegt hat. Er ertrug Thrasymachus, Polus und Kallikles und duldete seine Frau und seinen Sohn, die versuchten, ihn zu widerlegen und mit ihm zu streiten. Er verstand, dass ein Mensch die Gedanken und Wünsche eines anderen nicht kontrollieren kann. Sein einziger Wunsch war es, selbst im Einklang mit der Natur zu handeln, während er anderen erlaubte, dasselbe zu tun. Dies war das Ziel des weisen und guten Menschen.

Will der weise und gute Mensch Befehlshaber in einer Armee sein? Nein, aber wenn es erlaubt ist, will er seine eigenen Prinzipien bewahren. Möchte er heiraten? Nein, aber wenn er heiratet, ist es sein Ziel, seinen eigenen Naturzustand zu erhalten. Wenn er jedoch möchte, dass sein Sohn oder seine Frau nichts Falsches tut, wünscht er sich etwas, das nicht in seiner Macht steht. Er muss lernen, was zu ihm selbst gehört und was zu anderen. In dieser Denkweise ist kein Platz für Kämpfe. Er ist von nichts überrascht, was passiert, und erwartet das Schlimmste von denen, die böse sind. Er sieht jede Handlung, die hinter der extremen Schlechtigkeit zurückbleibt, als einen Gewinn an.

Jemand hat Sie beleidigt. Seien Sie nicht wütend, sondern dankbar, dass man Ihnen keinen körperlichen Schaden zugefügt hat. Aber was ist, wenn sie Ihnen körperlich geschadet haben? Seien Sie dankbar, dass sie Sie nicht getötet haben. Wie kann es sein, dass er nicht gelernt hat, dass Menschen keine zahmen Tiere sind, dass sie einander lieben sollten und dass Ungerechtigkeit demjenigen schadet, der sie begeht? Wenn er das nicht gelernt hat, warum sollte er dann nicht dem folgen, was für ihn am besten ist? Ihr Nachbar wirft mit Steinen nach Ihnen. Hast du etwas falsch gemacht? Ihr Eigentum ist zerbrochen. Bist du ein Gegenstand oder eine Person mit freiem Willen? Überlege, was für einen Menschen angemessen ist. Prüfe deine Fähigkeiten und Talente. Hast du die Veranlagung eines wilden Tieres oder das Verlangen nach Rache? Ein Pferd ist nicht unglücklich, weil es nicht krähen kann wie ein Hahn, sondern weil es nicht rennen kann. Ein Hund ist nicht unglücklich, weil er nicht fliegen kann, sondern weil er seine Beute nicht aufspüren kann.

Ebenso ist ein Mensch nicht unglücklich, weil er keine Löwen erwürgen oder Statuen umarmen kann, sondern weil er seine Ehrlichkeit und Loyalität verloren hat. Es ist wichtig, um einen solchen Menschen zu trauern und mit ihm wegen des Unglücks, das er erlitten hat, zu sympathisieren. Wir sollten nicht trauern, weil jemand geboren wird oder stirbt, sondern weil er das verloren hat, was ihm wirklich gehört. Nicht die Besitztümer, die sie geerbt haben, ihr Land, ihr Haus oder ihre Sklaven; diese Dinge gehören nicht ihnen, sondern sind Eigentum von anderen. Ich meine die Qualitäten, die einen Menschen zu dem machen, was er ist, die Eigenschaften, mit denen er geboren wurde, wie die Zeichen auf Münzen. Wenn wir diese Zeichen finden, akzeptieren wir die Münze. Wenn nicht, lehnen wir sie ab. Was sind die Merkmale der Meinungen einer Person? Sanftmut, Umgänglichkeit, Toleranz und die Bereitschaft zu gegenseitiger Zuneigung. Zeigen Sie mir diese Eigenschaften. Ich akzeptiere sie. Ich betrachte diese Person als Bürger, Nachbar und Begleiter auf meinen Reisen. Vergewissern Sie sich nur, dass sie nicht den Stempel von Nero tragen. Sind sie jähzornig, nachtragend oder suchen sie ständig nach Fehlern? Verletzen sie andere, wenn ihnen danach ist? Wenn ja, warum sollte man sie dann einen Mann nennen? Wird alles nur nach dem Äußeren beurteilt? Wenn das der Fall ist, könnte man sagen, dass eine Wachsfigur ein Apfel ist, weil sie so aussieht. Aber das Aussehen ist nicht genug. Ein Mensch besteht nicht nur aus seinen körperlichen Merkmalen. Er muss auch die Qualitäten eines Menschen haben. Wenn jemand nicht auf die Vernunft hört oder nicht akzeptieren kann, wenn er im Unrecht ist, dann ist er wie ein Esel. Wenn jemand jegliches Schamgefühl verloren hat, dann ist er nutzlos und alles andere als ein Mensch. Eine solche Person versucht, jeden zu verletzen oder anzugreifen, dem sie begegnet, und gleicht damit eher einer wilden Bestie als einem Schaf oder einem Esel.

Wofür soll ich dann verachtet werden? Von wem? Von denen, die Euch kennen? Und wie können diejenigen, die Sie kennen, einen sanften und bescheidenen Mann verachten? Vielleicht meint Ihr diejenigen, die Euch nicht kennen? Was kümmert Euch das? Kein anderer Handwerker schert sich um die Meinung derer, die sein Handwerk nicht verstehen. "Aber deshalb werden sie mir gegenüber feindseliger sein." Warum sagst du "mir"? Kann irgendjemand Ihren Willen verletzen oder Sie daran hindern, auf die Ihnen dargebotenen Situationen natürlich zu reagieren? "Er kann es nicht." Warum sind Sie dann immer noch beunruhigt und warum zeigen Sie lieber Angst? Warum trittst du nicht vor und erklärst, dass du mit allen Menschen in Frieden bist, ungeachtet ihrer Handlungen, und lachst vor allem über diejenigen, die meinen, sie könnten dir schaden? "Diese Sklaven", kannst du sagen, "wissen nicht, wer ich bin und wo mein wahres Gut oder Böse liegt, weil sie keinen Zugang zu den Dingen haben, die mir gehören".

Auf diese Weise machen sich sogar die Bewohner einer befestigten Stadt über die Angreifer lustig und denken: "Diese Männer bemühen sich umsonst. Unsere Mauern sind sicher, wir haben Nahrung im Überfluss, und auch andere Ressourcen." Dies sind die Faktoren, die eine Stadt stark und uneinnehmbar machen. Aber es sind nur die Überzeugungen und Meinungen eines Menschen, die seine Seele wirklich unbesiegbar machen können. Denn welche Mauer, welcher Körper, welcher Besitz, welche Ehre kann allen Angriffen standhalten? Alles in dieser Welt ist vergänglich und kann weggenommen werden. Wenn ein Mensch an solchen Dingen hängt, wird er Unruhe, Negativität, Angst und Enttäuschung erleben und Handlungen begehen, die er eigentlich vermeiden möchte. Sollten wir uns dann nicht dafür entscheiden, das einzige Mittel der Sicherheit zu sichern, das uns zur Verfügung steht? Sollten wir uns nicht von verderblichen und unterwürfigen Dingen abwenden und stattdessen nach dem streben, was ewig und von Natur aus frei ist? Und sollten wir nicht bedenken, dass es nicht die Handlungen der anderen sind, die uns schaden oder nützen, sondern ihre Meinungen zu den jeweiligen Themen? Es sind diese Meinungen, die Schaden und Aufruhr verursachen und zu Konflikten und Kriegen führen. Die Meinungsverschiedenheit zwischen Eteokles und Polynikes beispielsweise ergab sich allein aus ihren unterschiedlichen Ansichten über Macht und Verbannung; der eine hielt sie für das größte Übel, der andere für das größte Gut. Es liegt in der Natur eines jeden Menschen, das Gute zu suchen und das

Schlechte zu meiden, und jeden, der uns des Guten beraubt und uns dem Schlechten unterwirft, als Feind und Verräter zu betrachten, selbst wenn es sich um einen Bruder, einen Sohn oder einen Vater handelt. Denn nichts ist uns näher als das, was gut ist. Wenn es also Gutes und Schlechtes gibt, kann ein Vater seinen Söhnen kein Freund sein und ein Bruder nicht seinem Bruder. Nach dieser Logik ist die ganze Welt voll von Feinden, Verrätern und Schmeichlern. Wenn aber der Wille das einzig wahre Gute ist, wenn er tugendhaft ist, und das einzig wahre Böse, wenn er korrumpiert ist, wo ist dann der Streit? Wo ist die Notwendigkeit für Beleidigungen? Richtet sich das nicht alles auf Dinge, die uns nicht betreffen? Und warum sollte man sich mit den Unwissenden, den Unglücklichen und denjenigen, die sich in Bezug auf das, was wirklich wichtig ist, irren, anlegen?

Sokrates führte, wie wir uns erinnern, geschickt seinen eigenen Haushalt und ertrug die Herausforderungen einer jähzornigen Frau und eines Sohnes, dem es an Weisheit mangelte. Aber was war das Ausmaß der schlechten Laune seiner Frau? Sie schüttete ihm Wasser auf den Kopf, wann immer sie wollte, und trampelte sogar auf seinem Kuchen herum. Diese Handlungen hatten jedoch keine Auswirkungen auf Sokrates, denn er glaubte, dass sie keine Bedeutung hatten. Er konzentrierte sich auf seine eigene Verantwortung, und kein Tyrann oder Meister konnte seinen Willen kontrollieren. Seine Ansichten wurden nicht von der Masse oder von stärkeren Individuen beeinflusst, denn er wusste, dass Gott jedem Menschen die Kraft gegeben hatte, frei von Zwängen zu sein. Diese Überzeugungen förderten die Liebe in der Familie, die Harmonie im Staat, den Frieden zwischen den Völkern und die Dankbarkeit gegenüber Gott. Sie erlaubten es dem Menschen, in äußeren Dingen fröhlich zu bleiben, sowohl in Bezug auf den Besitz der anderen als auch auf Dinge von geringem Wert. Wir hingegen sind in der Lage, über diese Ideen zu lesen und zu schreiben, sie zu loben, wenn wir ihnen begegnen, aber wir sind weit davon entfernt, sie wirklich zu verinnerlichen. Daher lässt sich das Sprichwort, mit dem die Spartaner oft beschrieben werden: "Löwen zu Hause, aber Füchse in Ephesus", auch auf uns anwenden, denn wir mögen in der akademischen Welt mutig und weise erscheinen, aber außerhalb der akademischen Welt sind wir schlau und durchtrieben wie Füchse.

Von der Lektion...

Lernen Sie, wie Sie Konflikte vermeiden, Ihre Leitprinzipien aufrechterhalten und dem, was Ihnen wirklich gehört, Priorität einräumen, um in Harmonie mit der Natur zu leben und Zufriedenheit zu erlangen.

Zur Aktion!

(1) Üben Sie, Kämpfe und Konflikte mit anderen zu vermeiden, sowohl physisch als auch verbal.

(2) Schlichtet Streit und Konflikte zwischen anderen, wann immer es möglich ist, so wie Sokrates es in Xenophons Symposium tat.

(3) Entwickeln Sie die Fähigkeit, andere Sichtweisen zu tolerieren und zu verstehen, auch die derjenigen, mit denen wir nicht einverstanden sind, wie Thrasymachus, Polus und Kallikles im Fall von Sokrates.

(4) Fördern Sie eine Haltung der Akzeptanz und Toleranz gegenüber Ihrem Ehepartner und Ihren Kindern, auch wenn sie eine andere Meinung haben oder versuchen, uns herauszufordern.

(5) Konzentrieren Sie sich darauf, Ihr eigenes Herrschaftsprinzip aufrechtzuerhalten und im Einklang mit der Natur zu leben, anstatt zu versuchen, andere zu kontrollieren oder zu verändern.

(6) Lassen Sie den Wunsch los, andere zu kontrollieren oder zu verändern, und konzentrieren Sie sich stattdessen darauf, Bedingungen zu schaffen, unter denen auch andere in Harmonie mit der Natur leben können.

(7) Erkennen Sie an, dass eine Machtposition oder eine bestimmte Rolle (z. B. Befehlshaber einer Armee, verheiratet sein) nicht das eigene Glück oder die eigene Erfüllung definiert, sondern vielmehr die Fähigkeit, das eigene Herrschaftsprinzip aufrechtzuerhalten.

(8) Verstehen Sie den Unterschied zwischen dem, was zu Ihnen selbst gehört (z. B. Ihre eigenen Gedanken und Einstellungen), und dem, was zu anderen gehört (z. B. ihre Handlungen und Entscheidungen), und konzentrieren Sie sich auf die Kultivierung Ihrer eigenen Qualitäten.

(9) Erkennen Sie, dass es unrealistisch ist, sich von negativen Erfahrungen überraschen zu lassen oder zu erwarten, dass andere sich immer so verhalten, wie man es sich wünscht, und bereiten Sie sich stattdessen darauf vor, mit allem, was kommt, umzugehen und es zu akzeptieren, in dem Bewusstsein, dass es schlimmer hätte sein können.

(10) Wechseln Sie die Perspektive und sehen Sie die Handlungen anderer, die nicht zu extremer Bosheit führen, eher als Vorteile denn als Nachteile an, und konzentrieren Sie sich auf die Dankbarkeit dafür, dass Sie nicht weiter geschädigt wurden.

(11) Verzichten Sie auf Vergeltung oder Rache, wenn Sie mit Feindseligkeit oder Schaden konfrontiert werden, und erinnern Sie sich stattdessen an die Grundsätze und Werte, die Ihr eigenes Handeln leiten.

(12) Widerstehen Sie der Versuchung, sich in Kämpfe oder Gewalttaten zu verwickeln, wenn uns jemand provoziert oder schadet, und bewahren Sie stattdessen die Fassung und reagieren Sie mit Vernunft.

(13) Verstehen Sie, dass nicht die Handlungen und Meinungen anderer unseren Wert oder unser Glück definieren oder bestimmen, sondern dass unser eigener Charakter und unsere Tugenden entscheidend sind.

(14) Kultivieren Sie Qualitäten wie Sanftmut, Kontaktfreudigkeit, Toleranz und Zuneigung gegenüber anderen als Kennzeichen Ihres Charakters, anstatt nach äußerer Bestätigung oder Besitz zu streben.

(15) Kümmere dich nicht um die Meinung derer, die deine Tugenden nicht verstehen oder schätzen oder die sich auf äußere Faktoren konzentrieren, die deinen wahren Wert nicht definieren.

(16) Nimm Frieden und Zufriedenheit mit allen Menschen an, unabhängig von ihren Meinungen oder Handlungen, in dem Wissen, dass ihre Urteile und Handlungen das innere Selbst nicht beeinflussen.

(17) Weisen Sie die Vorstellung von Feinden oder Gegnern zurück und erkennen Sie an, dass Meinungsverschiedenheiten und unterschiedliche Auffassungen auf Unwissenheit oder Täuschung

zurückzuführen sind und dass unser wahrer Feind unsere eigenen Meinungen und Fehleinschätzungen sind.

(18) Akzeptieren und ertragen Sie schwierige Situationen und Beziehungen und verstehen Sie, dass äußere Handlungen und Verhaltensweisen nicht unseren inneren Zustand oder unsere Zufriedenheit bestimmen.

(19) Erkennen Sie, dass wahre Stärke in der Fähigkeit liegt, unter schwierigen Umständen einen friedlichen und unabhängigen Willen aufrechtzuerhalten, anstatt nach Macht oder Dominanz über andere zu streben.

(20) Bemühen Sie sich, die im Text besprochenen Lehren und Grundsätze zu verkörpern, anstatt nur darüber zu wissen, indem Sie diese Tugenden konsequent praktizieren und danach leben.

KAPITEL 6

— Gegen die, die darüber klagen, dass sie bemitleidet werden

Hört gut zu, denn ich habe eine Botschaft von größter Wichtigkeit. Es ist an der Zeit, über unser Dasein und die Meinungen anderer, die unsere Seele belasten, nachzudenken. Mitleid, ein triviales Gefühl, sollte nicht die Macht haben, über unser Glück zu bestimmen. Fragen Sie sich selbst, ob Sie dieses Mitleid wirklich verdienen, oder ob es nur eine Wahrnehmung ist, die von denen geprägt wird, die Sie missverstehen. Sie haben es in der Hand, dieses Mitleid zu vertreiben und der Welt zu zeigen, dass Sie selbstbestimmt sind und ihr Mitleid nicht brauchen. Aber seien Sie gewarnt: Um diesen Weg zu gehen, müssen Sie auf Täuschung und Manipulation zurückgreifen und Ihr wahres Selbst aufgeben. Alternativ dazu gibt es einen anspruchsvolleren und erfüllenderen Weg: den Weg der Selbstüberwindung und der Freiheit von Missständen. Auf diesem Weg müssen Sie den Einfluss äußerer Umstände und Meinungen ablegen und sich ausschließlich auf das konzentrieren, was in Ihrer Hand liegt. Verstehen Sie, dass die Macht, andere zu überzeugen, eine Illusion ist, aber die Macht, sich selbst zu überzeugen, ist zum Greifen nah. Es ist an der Zeit, Ihr eigener Gelehrter und Lehrer zu sein, denn niemand sonst kann Sie so gut führen wie Sie selbst. Die Zeit der Befreiung, der Klarheit und des wahren Verständnisses ist jetzt. Zaudern Sie nicht, denn auf diesem Weg werden Sie Frieden und Erleuchtung finden.

Die Kraft der Überzeugung und die Zufriedenheit mit sich selbst

"Ich bin traurig", sagt ein Mann, "weil ich bemitleidet werde". Beunruhigt die Tatsache, dass Sie bemitleidet werden, Sie oder diejenigen, die Sie bemitleiden? Können Sie dieses Mitleid tatsächlich stoppen? "Es liegt in meiner Macht, wenn ich ihnen zeige, dass ich kein Mitleid brauche." Und bist du in einer Position, in der du kein Mitleid verdienst, oder bist du in dieser Position? "Ich glaube, ich bin es nicht, aber diese Menschen haben kein Mitleid mit mir aus den Gründen, aus denen sie es sollten, nämlich wegen meiner Fehler; stattdessen bemitleiden sie mich wegen meiner Armut, dem Fehlen einer ehrenvollen Position, Krankheiten, Todesfällen und anderen solchen Dingen." Sind Sie also bereit, die Mehrheit der Menschen davon zu überzeugen, dass nichts von diesen Dingen wirklich schlecht ist und dass es für einen Menschen, der arm ist, keine Stellung hat und nicht geehrt wird, möglich ist, glücklich zu sein? Oder werden Sie sich ihnen gegenüber als reich und mächtig darstellen? Letzteres impliziert, dass Sie angeberisch, dumm und wertlos sind. Überlegen Sie auch, wie Sie diesen Anschein aufrechterhalten können. Sie werden Sklaven beschäftigen müssen und einige Silbergegenstände besitzen, die Sie vielleicht als neu ausgeben müssen, auch wenn sie es nicht sind, und Sie werden prächtige Kleidung tragen und sich extravagant zeigen. Sie müssen zeigen, dass Sie eine von den Mächtigen geschätzte Person sind, und versuchen, in deren Häusern zu speisen oder zumindest den Eindruck zu erwecken, dass Sie dies tun. Und wenn es um Ihr Aussehen geht, müssen Sie zu betrügerischen Methoden greifen, um attraktiver und edler zu wirken, als Sie es tatsächlich sind. Das sind die Dinge, die Sie sich ausdenken müssen, wenn Sie den zweiten Weg wählen und vermeiden wollen, bemitleidet zu werden. Der erste Weg ist jedoch sowohl unpraktisch als auch langwierig, denn er versucht etwas, was nicht einmal Zeus gelungen ist: alle Menschen davon zu überzeugen, was gut und böse ist. Besitzen Sie diese Macht? Die einzige Macht, die du hast, ist, dich selbst zu überzeugen, und nicht einmal das ist dir gelungen. Ich frage Sie also: Glauben Sie, dass Sie andere überzeugen können? Wer hat so viel Zeit mit Ihnen verbracht wie Sie mit sich selbst? Wer hat die Kraft, Sie mehr zu überzeugen als Sie sich selbst? Wer ist Ihnen wohlgesonnener und näher als Sie sich selbst? Warum haben Sie sich dann nicht selbst überzeugt, um zu lernen? Stehen die Dinge nicht gerade jetzt auf dem Kopf? War es nicht dein ernsthafter Wunsch zu lernen, wie man sich von Traurigkeit und Störungen befreit und nicht gedemütigt wird und frei ist? Haben Sie nicht gehört, dass es nur einen Weg gibt, dies zu erreichen - die Dinge loszulassen, die nicht in unserer Kontrolle liegen, sich von ihnen zu lösen und anzuerkennen, dass sie anderen gehören? Wenn sich also eine andere Person eine Meinung über Sie bildet, was macht das schon? "Es ist etwas, worauf man keinen Einfluss hat. Also spielt es für Sie keine Rolle? "Nein, tut es nicht." Warum regen Sie sich dann immer noch auf und sind beunruhigt? Glaubst du wirklich, du hast verstanden, was gut und was schlecht ist?

Willst du dann nicht andere sein lassen und dich darauf konzentrieren, selbst ein Gelehrter und Lehrer zu werden? "Der Rest der Menschheit wird entscheiden, ob es in ihrem Interesse ist, auf eine Art und Weise zu leben, die gegen die Natur verstößt, aber für mich ist niemand näher dran als ich selbst. Was bedeutet es also, dass ich den Worten der Philosophen zugehört habe und ihnen zustimme, mich aber trotzdem nicht leichter fühle? Bin ich so dumm? In allen anderen Dingen, für die ich mich entschieden habe, hat man mich nicht für sehr dumm befunden. Ich habe schnell Buchstaben, Ringen, Geometrie und das Lösen von Syllogismen gelernt. Hat mich die Vernunft nicht überzeugt? Dies sind die einzigen Dinge, die ich von Anfang an konsequent befürwortet und gewählt habe. Ich lese darüber, höre mir Diskussionen darüber an und schreibe darüber; und doch habe ich keinen Grund gefunden, der stärker ist als dieser. Woran mangelt es mir also? Habe ich gegenteilige Meinungen nicht ausgeschaltet? Habe ich diese Ideen nicht geübt oder in die Tat umgesetzt, sondern sie beiseite gelegt, um Staub zu sammeln wie eine rostige Rüstung, die nicht zu mir passt? Und doch gebe ich mich nicht damit zufrieden, nur durch körperliche Übungen, Schreiben oder Lesen zu lernen. Ich analysiere und erstelle Syllogismen, auch sophistische. Aber ich übe nicht die notwendigen Theoreme, die einen Menschen von Kummer, Angst, Leidenschaften und Hindernissen befreien und ihn zu einem freien Menschen machen können. Ich beschäftige mich nicht mit der richtigen Anwendung dieser Theoreme. Stattdessen sorge ich mich darum, was andere über mich sagen werden, ob ich ihnen bemerkenswert oder glücklich erscheine oder nicht."

Willst du nicht sehen, was du über dich selbst sagst, elender Mensch? Wie nimmst du dich selbst wahr in deinen Meinungen, Wünschen, Abneigungen, Bewegungen, Vorbereitungen, Plänen und anderen Handlungen, die einem Menschen angemessen sind? Aber kümmerst du dich darum, ob andere dich bemitleiden? "Ja, aber ich werde nicht so bemitleidet, wie ich es sollte." Bereitet Ihnen das Schmerzen? Und verdient derjenige, dem es weh tut, Mitleid? "Ja." Wie kommt es dann, dass du nicht so bemitleidet wirst, wie du es solltest? Indem du dich bemitleidet fühlst, machst du dich des Mitleids würdig. Und was sagt Antisthenes? Habt ihr das nicht gehört? "Es ist eine fürstliche Sache, oh Cyrus, das Richtige zu tun und schlecht geredet zu werden." Meinem Kopf geht es gut, aber alle denken, ich hätte Kopfschmerzen. Kümmert mich das? Ich habe kein Fieber, aber die Leute haben Mitleid mit mir, als ob ich es hätte: "Armer Mann, du bist schon so lange krank." Auch ich sage mit trauriger Miene: "Ja, ich bin schon lange krank." "Was wird dann geschehen?" "Wie es Gott gefällt." Und gleichzeitig lache ich heimlich über diejenigen, die mich bemitleiden. Warum also kann man in diesem Fall nicht dasselbe tun? Ich bin arm, aber ich habe eine richtige Meinung über Armut. Warum sollte es mir etwas ausmachen, wenn man mich dafür bemitleidet, dass ich arm bin? Ich bin nicht an der Macht, aber andere sind es. Ich habe die richtige Meinung darüber, ob ich Macht habe oder nicht. Sollen sich doch diejenigen, die mich bemitleiden, darum kümmern. Ich bin weder hungrig noch durstig noch friere ich, aber weil sie es sind, denken sie, ich sei es auch. Was soll ich also für sie tun? Soll ich herumgehen und verkünden: "Täuscht euch nicht, Leute. Mir geht es sehr gut. Ich kümmere mich nicht um Armut, fehlende Macht oder irgendetwas anderes. Ich habe ein freies Urteilsvermögen über alle Dinge. Ich kümmere mich um gar nichts." Wie töricht ist dieses Gerede? Wie kann ich ein gesundes Urteilsvermögen besitzen, wenn ich nicht damit zufrieden bin, ich selbst zu sein, sondern mich darum kümmere, was andere von mir denken? "Aber", sagst du, "andere werden mehr erreichen und mir vorgezogen werden". Was könnte vernünftiger sein, als dass diejenigen, die hart für etwas gearbeitet haben, mehr von dieser Sache haben, für die sie gearbeitet haben? Sie haben für die Macht gearbeitet, und Sie für die Meinung. Sie haben für den Reichtum gearbeitet, und du für den richtigen Gebrauch des Scheins. Schau, ob sie mehr haben als du in dieser Sache, für die du gearbeitet hast und die sie vernachlässigt haben. Sieh, ob sie mit den natürlichen Regeln der Dinge besser übereinstimmen als du, ob sie in ihren Wünschen weniger enttäuscht sind als du, und ob sie Dinge besser vermeiden als du. Sehen Sie, ob sie bessere Absichten, Ziele und Handlungen haben. Sehen Sie, ob sie sich als Menschen, als Kinder, als Eltern und in all den anderen Rollen, die wir im Leben zuweisen, besser verhalten. Aber wenn sie Macht ausüben und Sie nicht, dann sagen Sie sich die Wahrheit, dass Sie nichts um der Macht willen tun und sie alles tun. Es ist höchst unvernünftig, dass derjenige, dem etwas am Herzen liegt, weniger erreicht als derjenige, dem es egal ist. "Nicht doch", sagst du. "Da ich mich um richtige Meinungen kümmere, ist es vernünftiger für mich, Macht zu haben." Ja, in der Sache, die Ihnen wichtig ist - Meinungen. Aber in einer Sache, die ihnen wichtiger ist als dir, musst du ihnen nachgeben. Es ist so, als ob du denkst, dass du, weil du richtige Meinungen hast, einen Pfeil besser schießen kannst als ein Bogenschütze oder besser mit Metall arbeiten kannst als ein Schmied. Geben Sie also Ihre Anhaftung an Meinungen auf und konzentrieren Sie sich auf die Dinge, die Sie erwerben möchten. Wenn du dann keinen Erfolg hast, kannst du dich beklagen, denn du hast es verdient, dich zu beklagen. Aber jetzt sagst du, dass du mit anderen Dingen beschäftigt bist, dass du dich mit anderen Dingen beschäftigst. Doch viele Menschen sagen zu Recht, dass eine Handlung nicht mit einer anderen verbunden ist. Wer morgens aufgestanden ist, denkt darüber nach, wen er grüßen soll, wem er etwas Angenehmes sagen soll, wem

KAPITEL 6 — Gegen die, die darüber klagen, dass sie bemitleidet werden

er etwas schenken soll, wie er einen Tänzer erfreuen kann und wie er einen Menschen erfreuen kann, indem er einen anderen schlecht behandelt. Wenn er betet, betet er für diese Dinge. Er überträgt den Ausspruch des Pythagoras, "Lass den Schlaf nicht über deine müden Augen kommen", auf diese Dinge. "Wo habe ich in Sachen Schmeichelei versagt?" "Was habe ich getan?" Irgendetwas, das eines freien Mannes würdig ist, irgendetwas mit edler Gesinnung? Und wenn er so etwas findet, macht er sich selbst Vorwürfe und Tadel: "Warum hast du das gesagt? Hättest du nicht lügen können? Selbst die Philosophen sagen, dass uns nichts daran hindert, eine Lüge zu erzählen." Du aber, wenn du dich tatsächlich um nichts anderes als um den richtigen Gebrauch des Scheins gekümmert hast, überlegst, sobald du morgens aufgestanden bist: "Was brauche ich, um frei von Leidenschaft und Unruhe zu sein? Was bin ich? Bin ich ein schwacher Körper, ein Stück Eigentum, ein Gegenstand der Diskussion? Ich bin nichts von alledem. Was bin ich also? Ich bin ein vernünftiges Wesen. Was wird dann von mir verlangt?" Denken Sie über Ihr Handeln nach. "Wo habe ich die Dinge vernachlässigt, die zum Glück führen? Was habe ich getan, das unfreundlich oder unsozial ist? Was habe ich versäumt zu tun, was ich hätte tun sollen?"

Es ist also bemerkenswert, wie stark der Kontrast bei den Wünschen, Handlungen und Vorstellungen ist. Glauben Sie trotz dieser Diskrepanz immer noch, dass Sie den gleichen Anteil an den Dingen haben sollten wie andere, für die Sie nicht gearbeitet haben, die anderen aber schon? Sind Sie überrascht, wenn sie Mitleid mit Ihnen haben, und frustriert Sie das? Aber sie sind nicht frustriert, wenn Sie sie bemitleiden. Warum ist das so? Weil sie überzeugt sind, dass sie das Gute besitzen, während Sie es nicht haben. Deshalb bist du nicht zufrieden mit dem, was du hast, sondern du begehrst das, was sie haben. Sie hingegen sind mit ihrem eigenen Besitz zufrieden und sehnen sich nicht nach dem, was du hast. Wenn du wirklich glauben würdest, dass du das Gute erreicht hast und sie es verpasst haben, würdest du dich nicht einmal darum kümmern, was sie über dich sagen.

Von der Lektion...

Lassen Sie die Dinge los, die Sie nicht kontrollieren können. Konzentrieren Sie sich stattdessen auf Ihr eigenes Wachstum und überzeugen Sie sich von dem, was wirklich wichtig ist. Das ist der Schlüssel, um Frieden und Freiheit zu finden.

Zur Aktion!

(1) Denken Sie darüber nach, was Sie wirklich beschäftigt - sei es die Tatsache, dass Sie bemitleidet werden oder die Meinung anderer.

(2) Verstehen Sie, dass Sie die Macht haben, das Mitleid zu beenden, indem Sie anderen zeigen, dass Sie es nicht brauchen.

(3) Überlegen Sie, ob Sie wirklich Mitleid verdienen und ob es dafür triftige Gründe gibt, z. B. Ihre Fehler, und nicht äußere Umstände wie Armut oder mangelnde Ehre.

(4) Überlegen Sie, ob es sich lohnt, andere davon zu überzeugen, dass es möglich ist, trotz Armut oder Machtlosigkeit glücklich zu sein, oder ob Sie sich darauf konzentrieren sollten, sich als reich und mächtig darzustellen, auch wenn dies vielleicht eine Verstellung und äußere Zurschaustellung erfordert.

(5) Erkennen Sie, dass der Versuch, alle Menschen davon zu überzeugen, was gut und böse ist, unpraktisch und unrealistisch ist, da selbst Zeus dies nicht geschafft hat.

(6) Verstehen Sie, dass Ihre Macht darin liegt, sich selbst zu überzeugen, nicht andere, und dass Sie bisher nicht in der Lage waren, sich selbst davon zu überzeugen, was wirklich wichtig für Ihr Wohlbefinden ist.

(7) Akzeptieren Sie, dass Sie nicht kontrollieren können, was andere über Sie denken oder sagen, und dass es sinnlos ist, von ihnen Bestätigung oder Anerkennung zu suchen.

(8) Seien Sie Ihr eigener Gelehrter und Lehrer und konzentrieren Sie sich auf Ihre eigene Entwicklung, anstatt sich darüber Gedanken zu machen, was andere tun oder sagen.

(9) Überprüfen Sie Ihre eigenen Meinungen, Wünsche, Abneigungen und Handlungen, um sie mit dem in Einklang zu bringen, was wirklich zählt und glücklich macht, anstatt nach äußerer Bestätigung oder Zustimmung zu suchen.

(10) Lösen Sie sich von dem Bedürfnis, dass andere Sie bemitleiden oder mitfühlen, denn das verstärkt nur das Gefühl der Unzulänglichkeit und Abhängigkeit.

(11) Nehmen Sie Armut oder Machtlosigkeit als Umstände an, auf die Sie keinen Einfluss haben, aber behalten Sie eine richtige Meinung darüber, denn Sie wissen, dass sie nicht Ihren Wert oder Ihr Glück definieren.

(12) Erkennen Sie, dass diejenigen, die sich um Macht oder Reichtum bemüht haben, in diesen Bereichen vielleicht mehr haben, aber in Fragen der richtigen Ansichten und des richtigen Umgangs mit Äußerlichkeiten sind Sie im Vorteil.

(13) Konzentrieren Sie sich auf das, was Sie kontrollieren können - Ihr eigenes Handeln, Ihre Absichten und Ihr Verhalten -, anstatt sich mit anderen zu vergleichen oder nach externer Bestätigung zu suchen.

(14) Lösen Sie sich von dem Wunsch, anderen zu gefallen oder deren Anerkennung zu suchen, und leben Sie stattdessen vorrangig nach Ihren eigenen Werten und Prinzipien.

(15) Denken Sie regelmäßig darüber nach, was Sie wirklich brauchen, um frei von Leidenschaft und Unruhe zu sein, und sorgen Sie dafür, dass Ihr Handeln mit diesen Bedürfnissen in Einklang steht.

(16) Bewerten Sie Ihr Handeln und stellen Sie fest, in welchen Bereichen Sie es versäumt haben, so zu handeln, dass Glück und Wohlbefinden gefördert werden.

(17) Verstehen Sie, dass sich die Wünsche, Handlungen und Vorstellungen anderer Personen erheblich von den Ihren unterscheiden können und dass es normal ist, dass sie andere Ansichten und Meinungen haben.

(18) Akzeptieren Sie, dass andere Sie bemitleiden oder eine andere Meinung haben, aber lassen Sie nicht zu, dass dies Ihr eigenes Selbstwertgefühl oder Ihr Glück beeinträchtigt.

(19) Erinnern Sie sich daran, dass die Meinungen und Urteile anderer nicht Ihren wahren Wert widerspiegeln, und dass ihre Wahrnehmungen Sie nicht definieren.

(20) Seien Sie mit Ihren eigenen Überzeugungen, Grundsätzen und Handlungen zufrieden, denn Sie wissen, dass Sie sich aufrichtig um das bemüht haben, was für Sie selbst gut und richtig ist.

KAPITEL 7

— Über die Freiheit von Angst

Erleben Sie die wahre Essenz von Furchtlosigkeit und Freiheit, während wir die komplizierte Natur der Tyrannei und ihren Einfluss auf den Einzelnen erforschen. In diesem zum Nachdenken anregenden Unterfangen erforschen wir den Einfluss von Wachen, Schwertern und den von den Machthabern auferlegten Zwängen. Wir denken über die faszinierende Frage nach, warum ein Kind, das keine Bedrohung wahrnimmt, in der Gegenwart eines Tyrannen keine Angst hat. Wir begeben uns auf eine Reise in das Reich des Verstehens, wo wir das Konzept der Wertschätzung von Vergnügen und Zweckmäßigkeit gegenüber materiellen Besitztümern untersuchen und letztlich das Potenzial für eine befreite Existenz freilegen. Während wir diese fesselnden Ideen enträtseln, stellen wir konventionelle Weisheiten in Frage und laden Sie dazu ein, eine Denkweise anzunehmen, die die Unterordnung unter das höhere Gut akzeptiert und selbst im Angesicht von Widrigkeiten Freiheit entdeckt.

> Die Kraft des Loslösens: Überwindung der Angst und Umarmung der Freiheit

Was macht den Tyrannen furchterregend? "Die Wachen", sagst du, "und ihre Schwerter, und die Männer des Schlafgemachs und diejenigen, die sie ausschließen, die eintreten wollen." Wenn du nun einen Knaben zum Tyrannen bringst, während er bei seinen Wachen ist, warum fürchtet er sich dann nicht, oder ist es, weil das Kind diese Dinge nicht versteht? Wenn nun jemand versteht, was Wachen sind und dass sie Schwerter haben, und gerade deshalb zum Tyrannen kommt, weil er wegen irgendeines Umstandes zu sterben wünscht und leicht durch die Hand eines anderen sterben will, hat er dann Angst vor den Wachen? "Nein, denn er wünscht sich das, was die Wachen furchterregend macht." Wenn nun ein Mensch, der weder sterben noch leben will, mit allen Mitteln, sondern nur so, wie es erlaubt ist, sich dem Tyrannen nähert, was hindert ihn daran, sich dem Tyrannen ohne Furcht zu nähern? "Nichts." Wenn also ein Mensch die gleiche Meinung über sein Eigentum hat wie der Mann, den ich erwähnt habe, über seinen Körper; und auch über seine Kinder und seine Frau, und mit einem Wort, er ist so von irgendeiner Verrücktheit oder Verzweiflung befallen, dass er sich nicht darum kümmert, ob er sie besitzt oder nicht, sondern wie Kinder, die mit Muscheln spielen, sich um das Spiel kümmern, aber sich nicht um die Muscheln sorgen, so hat auch er keinen Wert auf die Materialien gelegt, sondern schätzt das Vergnügen, das er mit ihnen hat, und die Beschäftigung, welcher Tyrann ist dann für ihn furchterregend oder welche Wachen oder welche Schwerter?

Ist es möglich, dass ein Mensch durch Wahnsinn zu diesen Dingen neigt, und dass die Galilaens durch Gewohnheit? Ist es auch möglich, dass kein Mensch durch Vernunft und Beweisführung lernen kann, dass Gott alle Dinge im Universum, wie auch das Universum selbst, völlig frei von Hindernissen und vollkommen geschaffen hat, wobei jeder Teil dem Ganzen dient? Während andere Tiere diese Organisation nicht begreifen können, besitzt das vernunftbegabte Tier, der Mensch, die Fähigkeit, zu bedenken und zu verstehen, dass er ein Teil davon ist und welche Art von Teil er ist, und erkennt, dass es richtig ist, dass die Teile dem Ganzen untergeordnet sind. Darüber hinaus ist der Mensch nicht nur von Natur aus edel, großmütig und frei, sondern er beobachtet auch, dass einige Dinge um ihn herum frei von Hindernissen und unter seiner Kontrolle sind, während andere Dinge Hindernissen unterliegen und unter der Kontrolle anderer stehen. Die Dinge, die frei von Hindernissen sind, liegen in der Entscheidungsgewalt des Einzelnen, während die

Dinge, die Hindernissen unterliegen, außerhalb des eigenen Willens liegen. Wenn eine Person also glaubt, dass ihr Wohlergehen und ihre Interessen ausschließlich in den Dingen liegen, die frei von Hindernissen und unter ihrer eigenen Kontrolle sind, wird sie Freiheit, Wohlstand und Glück erleben und von Schaden verschont bleiben. Er wird auch großmütig, fromm und Gott für alles dankbar sein und niemals etwas bemängeln, was nicht in seiner Macht steht, oder ihm die Schuld geben. Wer jedoch glaubt, dass sein Wohl und seine Interessen von äußeren Faktoren und Dingen abhängen, die sich seiner Kontrolle entziehen, wird unweigerlich behindert, behindert und zum Sklaven derer, die Macht über die Dinge haben, die er bewundert und fürchtet. Sie werden auch ungläubig sein, weil sie sich von Gott benachteiligt fühlen, ungerecht, weil sie ständig mehr beanspruchen, als ihnen rechtmäßig zusteht, und sie werden schließlich niedrig und unwürdig.

Was hindert einen Menschen, der diese Dinge klar erkannt hat, daran, mit leichtem Herzen zu leben und leicht zu ertragen, was auch immer geschehen mag, während er das, was bereits geschehen ist, ruhig akzeptiert? "Willst du, dass ich die Armut ertrage?" Kommt und seht, was Armut wirklich ist, wenn sie jemanden findet, der überzeugend die Rolle eines Armen spielen kann. "Möchtest du, dass ich Macht besitze?" Lass mich die Macht haben, mit all den Schwierigkeiten, die sie mit sich bringt. "Nun, Verbannung?" Wohin ich auch gehe, es wird mir gut gehen; denn selbst hier, wo ich jetzt bin, ist es nicht der Ort, der es mir gut gemacht hat, sondern meine eigenen Überzeugungen, die ich mitnehmen werde. Niemand kann mir meine Überzeugungen nehmen; sie gehören nur mir und können nicht weggenommen werden. Solange ich sie habe, bin ich zufrieden, egal wo ich bin oder was ich tue. "Aber jetzt ist es Zeit, zu sterben." Warum sagen Sie "zu sterben"? Lassen Sie uns dieses Ereignis nicht dramatisieren, sondern es so beschreiben, wie es wirklich ist: Es ist jetzt an der Zeit, dass die Materie zu den Elementen zurückkehrt, aus denen sie ursprünglich bestand. Und was gibt es hier zu befürchten? Was wird unter all den Dingen im Universum untergehen? Welches neue oder wundersame Ereignis wird eintreten? Ist es der Grund, warum ein Tyrann Angst einflößt?

Ist es der Grund, warum die Wachen große, scharfe Schwerter tragen? Sagt das den anderen; aber ich habe über all diese Dinge nachgedacht; niemand hat Macht über mich. Ich bin frei geworden; ich verstehe seine Gebote, und niemand kann über mich wie ein Sklave herrschen. Ich habe die Fähigkeit, meine Freiheit zu behaupten; ich habe richtige Richter. Bist du nicht der Herr über meinen Körper? Ja und? Bist du nicht der Herr über meinen Besitz? Was soll's? Bist du nicht der Herr über mein Exil oder meine Ketten? Nun, ich bin bereit, all diese Dinge, einschließlich dieses zerbrechlichen Körpers, deinem Befehl zu überlassen, wann immer du willst. Teste deine Macht, und du wirst ihre Grenzen erkennen.

Wen kann ich dann noch fürchten? Diejenigen, die über das Schlafgemach herrschen? Was können sie tun? Mich ausschließen? Wenn sie merken, dass ich eintreten will, sollen sie mich aussperren. "Warum gehst du dann zu den Türen?" Weil ich es für angemessen halte, an dem Stück teilzunehmen, solange es dauert. "Wie kannst du dann nicht ausgeschlossen werden?" Weil ich nicht hineingehen will, es sei denn, jemand erlaubt es mir, und ich bin immer mit dem zufrieden, was mit mir geschieht. Ich glaube, dass das, was Gott wählt, besser ist als das, was ich wähle. Ich werde mich ihm als Diener und Nachfolger anschließen; ich habe die gleichen Wünsche und den gleichen Willen wie er. Für mich gibt es keinen Ausschluss, nur für diejenigen, die versuchen, sich den Weg zu bahnen. Warum also dränge ich mich nicht auf? Weil ich weiß, dass denen, die eintreten, nichts Gutes zuteil wird. Aber wenn ich höre, dass jemand als glücklich bezeichnet wird, weil er von Cäsar geehrt wird, dann frage ich: "Was bekommt er eigentlich?" Eine Provinz. Bekommen sie auch die richtige Meinung? Die Fähigkeit, seine Position gut zu nutzen? Warum strebe ich dann immer noch danach, hineinzukommen? Ein Mann streut getrocknete Feigen und Nüsse aus; die Kinder greifen danach und streiten sich darum, aber die Männer tun es nicht, weil sie denken, sie seien unwichtig. Wenn aber ein Mann mit Muscheln um sich wirft, würden nicht einmal die Kinder danach greifen.

Die Verteilung von Macht und Reichtum ist nicht meine Sache. Sollen doch die Kinder darum wetteifern, sollen sie doch ausgeschlossen und geschlagen werden und den Machthabern Respekt zollen. Aber für mich haben diese Dinge keinen Wert. Sie sind bloßes Beiwerk, unbedeutend. Was also, wenn du sie nicht bekommst, während Cäsar sie frei verteilt? Seid nicht beunruhigt. Wenn ihr eine kleine Belohnung erhaltet, nehmt sie an und genießt sie. Eine getrocknete Feige mag in diesem Zusammenhang wertvoll erscheinen. Aber wenn ich mich auf hinterlistige Taktiken und Schmeicheleien einlasse, um Zugang zu Machtpositionen zu erlangen, dann wäre nicht einmal eine getrocknete Feige die Mühe wert. Tatsächlich sollte nichts, was von Natur aus schlecht ist, wie mich die Philosophen gelehrt haben, als gut angesehen werden.

Zeig mir die Schwerter der Wachen. "Seht, wie groß sie sind und wie scharf." Wozu dienen diese großen und scharfen Schwerter dann? "Sie töten." Und was bewirkt ein Fieber? "Nichts anderes." Und was macht ein Dachziegel? "Nichts anderes." Wollt ihr also, dass ich mich über diese Dinge wundere und sie anbete und als Sklave von ihnen allen herumlaufe? Ich hoffe, dass dies nicht geschehen wird; aber wenn ich einmal gelernt habe, dass alles, was entsteht, auch wieder vergehen muss, damit das Universum nicht stillsteht und nicht behindert wird, dann ist es für mich kein Unterschied mehr, ob ein Fieber es tut oder ein Ziegel oder ein Soldat. Wenn aber ein Mensch einen Vergleich zwischen diesen Dingen anstellen muss, weiß ich, dass der Soldat es mit weniger Mühe und schneller tun wird. Wenn ich also weder etwas fürchte, was ein Tyrann mir antun kann, noch etwas begehre, was er mir geben kann, warum sehe ich dann noch mit Verwunderung zu? Warum bin ich immer noch verwirrt? Warum fürchte ich die Wächter? Warum freue ich mich, wenn er freundlich zu mir spricht und mich empfängt, und warum erzähle ich anderen, wie er zu mir gesprochen hat? Ist er ein Sokrates, ist er ein Diogenes, dass sein Lob ein Beweis dafür sein soll, was ich bin? Habe ich mich bemüht, seine Moral zu imitieren? Aber ich halte das Spiel aufrecht und gehe zu ihm und diene ihm, solange er nichts Törichtes oder Unvernünftiges von mir verlangt. Wenn er aber zu mir sagt: "Geh und bringe Leon von Salamis", sage ich zu ihm: "Such dir einen anderen, denn ich spiele nicht mehr." "Führe ihn fort." Ich folge; das gehört zum Spiel. "Aber dein Kopf wird abgeschlagen."

Bleibt der Kopf des Tyrannen immer dort, wo er ist, und die Köpfe derer, die ihm gehorchen? "Aber du wirst unbestattet hinausgeworfen werden." Wenn der Leichnam ich bin, werde ich hinausgeworfen, aber wenn ich anders bin als der Leichnam, dann sprich genauer nach der Wahrheit und versuche nicht, mir Angst zu machen. Diese Dinge sind für Kinder und Narren erschreckend. Wer aber einmal in die Schule der Philosophen gegangen ist und nicht weiß, was er ist, der verdient es, voller Furcht zu sein und denen zu schmeicheln, denen er nachher zu schmeicheln pflegte; wenn er noch nicht gelernt hat, dass er nicht Fleisch noch Knochen noch Sehnen ist, sondern dass er das ist, was sich dieser Teile des Körpers bedient und sie beherrscht und den Erscheinungen der Dinge folgt. "Ja, aber dieses Gerede lässt uns die Gesetze verachten." Und welche Art von Reden macht die Menschen gehorsamer gegenüber den Gesetzen, die solche Reden verwenden? Und was in der Macht eines Narren steht, ist kein Gesetz. Und doch seht, wie dieses Gerede uns dazu bringt, so zu sein, wie wir auch diesen Menschen gegenüber sein sollten; denn es lehrt uns, ihnen gegenüber nichts von dem zu behaupten, worin sie uns zu übertreffen vermögen. Diese Rede lehrt uns, was den Körper betrifft, ihn aufzugeben, was das Eigentum betrifft, auch das aufzugeben, was die Kinder, die Eltern, die Brüder betrifft, sich von ihnen zurückzuziehen, alles aufzugeben; sie macht nur eine Ausnahme von den Meinungen, die sogar Zeus als das auserwählte Eigentum eines jeden Menschen angesehen hat. Welche Übertretung der Gesetze liegt hier vor, welche Torheit? Wo ihr überlegen und stärker seid, da gebe ich euch nach; wo ich hingegen überlegen bin, da gebt ihr mir nach; denn ich habe das studiert, ihr aber nicht. Ihr habt studiert, in Häusern mit Fußböden aus verschiedenen Steinen zu leben, wie eure Sklaven und Angehörigen euch dienen sollen, wie ihr feine Kleidung tragen, viele Jäger, Lautenspieler und tragische Schauspieler haben sollt. Behaupte ich irgendetwas von alledem? Habt ihr euch mit Meinungen und eurem eigenen Verstand beschäftigt? Weißt du, aus welchen Teilen es besteht, wie sie zusammengesetzt sind, wie sie miteinander verbunden sind, welche Kräfte es hat und welcher Art sie sind? Warum ärgerst du dich dann, wenn ein anderer, der es zu seinem

70

Studium gemacht hat, in diesen Dingen den Vorzug vor dir hat? "Aber diese Dinge sind die größten." Und wer hindert dich daran, dich mit diesen Dingen zu beschäftigen und dich um sie zu kümmern? Und wer hat einen besseren Vorrat an Büchern, an Muße, an Personen, die dir helfen? Wenden Sie sich nur endlich diesen Dingen zu, achten Sie, wenn auch nur für kurze Zeit, auf Ihr eigenes Urteilsvermögen: überlegen Sie, was das ist, das Sie besitzen, und woher es kommt, das alle anderen benutzt und prüft, auswählt und verwirft. Solange du dich aber mit den äußeren Dingen beschäftigst, wirst du sie besitzen wie kein anderer Mensch; aber du wirst dieses innere Selbst so haben, wie du es haben willst, schmutzig und vernachlässigt.

Von der Lektion...

Trennen Sie Ihr Glück von äußeren Umständen und verstehen Sie, dass wahre Freiheit und Wohlstand von innen kommen. Schätzen Sie die Macht Ihres eigenen Willens gegenüber den Dingen, die nicht in Ihrer Kontrolle liegen.

Zur Aktion!

(1) Denken Sie über die Angst vor dem Tyrannen nach und verstehen Sie, warum sie existiert.

(2) Denken Sie an die Perspektive eines Kindes, das sich den Wachen und Schwertern des Tyrannen gegenübersieht.

(3) Erforschen Sie die Denkweise von jemandem, der durch die Hand eines anderen sterben möchte und keine Angst vor den Wachen hat.

(4) Erkennen Sie, dass es möglich ist, sich dem Tyrannen ohne Angst zu nähern, wenn Sie nicht mit Ihren eigenen Mitteln leben oder sterben wollen.

(5) Verstehen Sie, dass der eigene Besitz, wie Eigentum, Kinder und Ehepartner, nicht höher bewertet werden sollte als das Vergnügen und die Beschäftigung, die sie bieten.

(6) Erkennen Sie die Bedeutung der Vernunft und des Beweises für das Verständnis, dass alles im Universum frei von Hindernissen und vollkommen ist.

(7) Erkennen Sie an, dass die Menschen die Fähigkeit haben, die Verwaltung des Universums zu verstehen und ihre Rolle darin zu begreifen.

(8) Erkennen Sie den Unterschied zwischen Dingen, die in Ihrer Macht stehen, die frei von Hindernissen sind, und Dingen, die nicht in Ihrer Macht stehen, die Hindernissen ausgesetzt sind.

(9) Erkennen Sie, dass die Konzentration auf die Dinge, die in Ihrer Macht stehen, zu Freiheit, Wohlstand, Glück und Dankbarkeit führt.

(10) Verstehen Sie die Folgen der Wertschätzung äußerer Dinge, die nicht in der eigenen Macht stehen, was dazu führen kann, dass man sich behindert, behindert, versklavt, pietätlos, ungerecht, elend und gemein fühlt.

(11) Nehmen Sie eine unbeschwerte Haltung ein und akzeptieren Sie alle Umstände, sowohl vergangene als auch zukünftige.

(12) Erkennen Sie die Bedeutungslosigkeit von Armut, Macht und Verbannung und entwickeln Sie eine Einstellung, die sich an jede Situation anpassen kann.

(13) Nehmen Sie eine realistische Perspektive auf das Konzept des Todes ein und betrachten Sie ihn als eine natürliche Lösung und nicht als tragisches Ereignis.

(14) Beseitigen Sie die Angst vor Schwertern und Wachen, indem Sie verstehen, dass sie im großen Plan des Universums unbedeutend sind.

(15) Schätzen Sie den Unterschied zwischen vorübergehenden Belohnungen und wahren Gütern, die mit den Lehren der Philosophie übereinstimmen.

(16) Lassen Sie sich nicht vom Lob der Gesellschaft oder der Zustimmung des Tyrannen beeinflussen, denn sie definieren nicht die wahre Natur des Menschen.

(17) Machen Sie sich die Philosophie der Loslösung von materiellen Besitztümern und äußerer Anerkennung zu eigen.

(18) Betrachten Sie Gesetze nicht als verwerflich, sondern hinterfragen Sie ihre Gültigkeit und gleichen Sie sie mit philosophischen Grundsätzen ab.

(19) Legen Sie Wert auf das Studium der Meinungen und des Verstandes, anstatt Zeit und Energie auf oberflächliche Dinge zu verschwenden.

(20) Erkennen Sie die Macht und das Potenzial der eigenen Entscheidungsfähigkeit an und kultivieren Sie ein tieferes Verständnis dafür.

KAPITEL 8

— Gegen diejenigen, die sich vorschnell in den Gebrauch des philosophischen Kleides stürzen

Um voreilige Urteile und böswillige Kritik zu vermeiden, ist es wichtig, Personen nicht allein aufgrund oberflächlicher Eigenschaften oder Handlungen zu loben oder zu verurteilen. Der wahre Maßstab für die Fähigkeiten einer Person - oder deren Mangel daran - liegt in der Übereinstimmung ihrer Handlungen mit ihren zugrunde liegenden Überzeugungen und Meinungen. Daher ist es wichtig, sich mit Urteilen zurückzuhalten, bis man die zugrunde liegenden Motive verstanden hat. Genauso wenig wie man einen Zimmermann allein aufgrund der Art und Weise, wie er mit seiner Axt umgeht, oder einen Musiker allein aufgrund seiner Fähigkeit zu singen beurteilen würde, ist es unfair, jemanden allein aufgrund seines äußeren Erscheinungsbildes als Philosophen zu bezeichnen. Im Gegensatz zu anderen Berufen wird die Disziplin der Philosophie oft missverstanden und nur nach äußeren Faktoren beurteilt, wobei ihr wahres Wesen, das in der Kultivierung von Vernunft und Tugend liegt, außer Acht gelassen wird. Dieser Text befasst sich mit der Komplexität und den Fehlinterpretationen, die den Beruf des Philosophen umgeben, und unterstreicht die Notwendigkeit eines differenzierteren und durchdachteren Ansatzes.

Die Bedeutung der Beurteilung von Handlungen, nicht von Äußerlichkeiten: Eine Lektion in Philosophie

---

Loben oder tadeln Sie eine Person niemals aufgrund von Dingen, die allgemein üblich sind, und unterstellen Sie ihr keine Fähigkeiten oder mangelnden Fähigkeiten. Dies wird Sie davor schützen, impulsiv und boshaft zu sein. "Dieser Mann badet sehr schnell." Bedeutet das, dass er etwas falsch macht? Sicherlich nicht. Aber was tut er denn dann? Er badet einfach schnell. Bedeutet das, dass alles, was er tut, gut gemacht ist? Ganz und gar nicht. Handlungen, die auf richtigen Ansichten beruhen, werden gut gemacht, während Handlungen, die auf schlechten Ansichten beruhen, schlecht gemacht werden. Solange Sie also nicht verstehen, was hinter den Handlungen eines Menschen steht, sollten Sie ihn weder loben noch tadeln. Es ist jedoch nicht einfach, die Meinung einer Person anhand äußerer Faktoren zu erkennen. "Dieser Mann ist ein Zimmermann." Und warum? "Weil er eine Axt benutzt." Na und? "Dieser Mann ist ein Musiker, weil er singt." Und was beweist das? "Dieser Mann ist ein Philosoph, weil er einen Mantel trägt und lange Haare hat." Und was trägt dann ein Gaukler? Wenn also jemand Zeuge eines unangemessenen Verhaltens eines Philosophen wird, sagt er sofort: "Seht euch an, was der Philosoph tut." Aber stattdessen sollte man sich fragen, ob diese Person aufgrund ihres unanständigen Verhaltens wirklich ein Philosoph ist. Wenn die vordefinierte Vorstellung und der Beruf eines Philosophen darin bestünde, einen Mantel zu tragen und lange Haare zu haben, dann hätten die Menschen mit ihrer Annahme recht. Wenn ihr wahrer Beruf jedoch darin besteht, nach moralischer Vollkommenheit zu streben, warum entziehen wir ihnen dann nicht den Titel "Philosoph", wenn sie ihren eigenen Idealen nicht gerecht werden? Das tun wir auch bei anderen Berufen. Wenn jemand sieht, dass ein anderer schlecht mit einer Axt umgeht, sagt er nicht: "Wozu ist man eigentlich Schreiner? Sieh dir an, wie schlecht sie mit dem Werkzeug umgehen." Stattdessen sagt man das Gegenteil: "Diese Person ist kein Zimmermann, weil sie die Axt schlecht benutzt." Das Gleiche gilt für jemanden, der schlecht singt. Man sagt nicht: "Schaut euch an, wie Musiker singen." Stattdessen sagt man: "Diese Person ist kein Musiker". Diese Denkweise wird jedoch nur auf die Philosophie angewandt. Wenn man einen Philosophen sieht, der sich entgegen seinem Beruf verhält, nimmt man ihm den Titel nicht ab. Stattdessen halten sie ihn für einen Philosophen und schließen aus seinem unanständigen Verhalten, dass die Philosophie nutzlos ist.

Was ist der Grund dafür? Es liegt daran, dass wir die Idee eines Tischlers, eines Musikers und anderer Handwerker in ähnlicher Weise schätzen, aber nicht die Idee eines Philosophen. Wir urteilen nur nach dem äußeren Anschein, dass Philosophie etwas Unklares und schlecht Definiertes ist. Welche andere Kunst ist nach Kleidung und Haaren benannt und hat keine Prinzipien, kein Material und keinen Zweck? Was ist also das Material eines Philosophen? Ist es ein Mantel? Nein, es ist die Vernunft. Was ist ihr Zweck? Ist es, einen Mantel zu tragen? Nein, es ist der Besitz der Vernunft in einem angemessenen Zustand. Was für Prinzipien haben sie? Geht es darum, wie man sich einen Bart wachsen lässt oder lange Haare hat? Nein, sondern es geht darum, wie Zeno sagt, die Elemente der Vernunft zu verstehen, was jedes von ihnen ist, wie sie zusammenhängen und was aus ihnen folgt. Sollte man nicht zuerst sehen, ob die Handlungen eines Philosophen zu seinem Beruf passen, bevor man seine Studien kritisiert? Aber stattdessen zeigen Sie, wenn Sie sich selbst korrekt verhalten, auf das, was Sie als ihr Fehlverhalten empfinden, und sagen: "Schauen Sie sich den Philosophen an", als ob es angemessen wäre, jemanden, der diese Dinge tut, einen Philosophen zu nennen. Außerdem sagen Sie: "So verhält sich ein Philosoph". Aber man sagt nicht: "Seht euch den Zimmermann an", wenn man weiß, dass er ein Ehebrecher oder ein Vielfraß ist. Man sagt auch nicht: "Seht euch den Musiker an". Bis zu einem gewissen Grad versteht man also den Beruf des Philosophen, aber man weicht vom Konzept ab und wird aufgrund mangelnder Aufmerksamkeit verwirrt.

Aber auch die Philosophen selbst, wie sie genannt werden, gehen ihrer Berufung nach, indem sie mit Dingen beginnen, die ihnen selbst und anderen gemeinsam sind. Sobald sie sich ein bestimmtes Aussehen zulegen, etwa einen Mantel tragen und sich einen Bart wachsen lassen, erklären sie: "Ich bin ein Philosoph". Wenn jemand jedoch ein Plektrum und eine Laute kauft, wird er nicht verkünden: "Ich bin ein Musiker". Ebenso kann jemand, der sich eine Mütze und eine Schürze anzieht, nicht sagen: "Ich bin ein Schmied". Die Kleidung ist lediglich an den Beruf angepasst, und der Einzelne leitet seinen Namen von seinem Beruf ab, nicht von seiner Kleidung. Aus diesem Grund pflegte Euphrates zu sagen: "Ich habe mich lange Zeit bemüht, ein Philosoph zu sein, ohne dass andere es wussten." Er empfand dies als vorteilhaft, denn er erkannte, dass er, wenn er etwas gut machte, dies nicht um der Zuschauer willen tat, sondern für sich selbst. Er aß gut, setzte sich gut zusammen, ging gut zu Fuß, alles um seiner selbst und um Gottes willen. Und da er allein kämpfte, war er auch allein der Gefahr ausgesetzt. Wenn er ein unehrenhaftes oder unangemessenes Verhalten an den Tag legte, so schadete dies weder der Philosophie, noch schadete er anderen, indem er sich als Philosoph unangemessen verhielt. Daher fragten sich diejenigen, die seine Absichten nicht kannten, wie es möglich war, dass er selbst kein Philosoph war, obwohl er mit allen Philosophen verkehrte und unter ihnen lebte. Euphrates fragte sich, warum es notwendig sei, dass andere aufgrund von Äußerlichkeiten wüssten, dass er ein Philosoph sei, anstatt seine Handlungen als Beweis anzuerkennen. Er forderte die anderen auf, zu beobachten, wie er aß, trank, schlief, aushielt, sich zurückhielt, kooperierte, Begehren und Abneigung nutzte, natürliche und erworbene Beziehungen aufrechterhielt und sich ohne Verwirrung oder Hindernis bewegte. Er forderte sie auf, ihn auf der Grundlage dieser Verhaltensweisen zu beurteilen, wenn sie dazu in der Lage wären. Wenn sie jedoch so taub und blind waren, dass sie Hephaistos nur anhand der Kappe auf seinem Kopf als geschickten Schmied erkennen konnten, sah Euphrat keinen Schaden darin, von solch törichten Richtern nicht anerkannt zu werden.

Sokrates war nicht weithin als Philosoph anerkannt, und die Leute kamen oft auf ihn zu und baten darum, den Philosophen vorgestellt zu werden. Fühlte er sich verärgert wie wir und antwortete: "Glauben Sie nicht, dass ich ein Philosoph bin?" Nein, stattdessen nahm er sie an und stellte sie vor, zufrieden damit, selbst ein

Philosoph zu sein. Er war auch zufrieden, nicht als Philosoph gesehen zu werden, weil er sich auf seine eigene Arbeit konzentrierte. Was bedeutet es, ein ehrenhafter und guter Mensch zu sein? Geht es darum, viele Schüler zu haben? Sicherlich nicht. Diejenigen, die sich wirklich der Sache verschrieben haben, werden sich darauf konzentrieren. War es seine Aufgabe, schwierige Konzepte sorgfältig zu studieren? Andere würden sich auch um diese Dinge kümmern. Wer genau war also Sokrates und was wollte er sein? Er lebte an einem Ort, der sowohl Vorteile als auch Nachteile hatte. Er sagte: "Wenn mir jemand schaden kann, dann tue ich nichts. Wenn ich mich darauf verlasse, dass andere mir Gutes tun, dann bin ich nichts. Wenn ich mich um etwas sorge und es passiert nicht, bin ich unglücklich". Er lud alle ein, sich auf diese Art von Wettbewerb einzulassen, und ich glaube, er hätte ihn mit niemandem abgelehnt. Aber wie hat er das kommuniziert? Hat er proklamiert und verkündet: "Ich bin diese Art von Mensch"? Ganz und gar nicht, er hat es durch sein Handeln verkörpert. Es ist töricht und prahlerisch zu sagen: "Ich bin frei von Emotionen und Störungen. Begreift ihr nicht, dass ich völlig ruhig bin, während ihr euch Sorgen macht und euch von Kleinigkeiten beunruhigen lasst?" Es reicht nicht aus, einfach keinen Schmerz zu empfinden, wenn man nicht sofort zeigen kann, wie auch andere von ihren Krankheiten befreit werden können, wie Äskulap, und wenn man nicht mit gutem Beispiel vorangeht, was die eigene Gesundheit betrifft.

Denn das ist der Kyniker, der mit dem Zepter und dem Diadem des Zeus geehrt wird und sagt: "Damit ihr seht, o Menschen, dass ihr das Glück und die Ruhe nicht dort sucht, wo sie ist, sondern dort, wo sie nicht ist, seht, dass ich von Gott als Beispiel zu euch gesandt bin. Ich, der ich weder Besitz noch Haus, weder Frau noch Kinder, nicht einmal ein Bett, noch Mantel noch Hausgerät habe; und seht, wie gesund ich bin; prüft mich, und wenn ihr seht, dass ich frei von Störungen bin, so hört die Heilmittel und wie ich geheilt worden bin." Das ist philanthropisch und edel. Aber seht, wessen Werk es ist, das Werk des Zeus oder dessen, den er dieses Dienstes für würdig erachtet, dass er niemals etwas den Vielen vorführt, wodurch er sein eigenes Zeugnis unwirksam macht, wodurch er Zeugnis für die

Tugend ablegt und gegen äußere Dinge Zeugnis ablegt: Sein schönes Gesicht verblassen die Wangen. Er wischt eine Träne ab. Und nicht nur das, sondern er begehrt und sucht nichts, weder Mensch noch Ort noch Vergnügen, wie Kinder die Weinlese oder die Feiertage suchen; immer durch Bescheidenheit gestärkt, wie andere durch Mauern und Türen und Türhüter gestärkt werden. Nun aber, da sie nur zur Philosophie bewegt werden, wie die, die einen schlechten Magen haben, zu manchen Speisen bewegt werden, die sie bald verabscheuen, wenden sie sich geradewegs dem Zepter und der königlichen Macht zu. Sie lassen das Haar wachsen, sie nehmen den Mantel an, sie zeigen die nackte Schulter, sie streiten mit denen, die sie treffen; und wenn sie einen Mann in einem dicken Wintermantel sehen, streiten sie mit ihm. Mensch, übe dich zuerst im Winterwetter: Sieh zu, dass deine Bewegungen nicht die eines Mannes mit schlechtem Magen oder die einer sehnsüchtigen Frau sind. Bemühe dich zuerst, dass man nicht weiß, was du bist: Sei für kurze Zeit ein Philosoph für dich selbst. So wächst die Frucht: Der Same muss eine Zeit lang vergraben, verborgen sein und langsam wachsen, damit er zur Vollendung kommt. Bringt er aber die Ähre vor dem gegliederten Stiel hervor, so ist er unvollkommen, ein Produkt aus dem Garten des Adonis. Eine solche arme Pflanze bist auch du: Du hast zu früh geblüht; die Kälte wird dich versengen. Seht, was die Landwirte über die Samen sagen, wenn es zu früh warm wird. Sie fürchten, dass die Saat zu üppig wird, und dann ein einziger Frost sie ergreift und zeigt, dass sie zu früh ist. Bedenke auch du, mein Mann: du bist zu früh hinausgeschossen, du hast dich vor der rechten Zeit zu einem kleinen Ruhm beeilt: du denkst, dass du etwas bist, ein Narr unter den Narren: du wirst vom Frost erwischt werden, und zwar bist du unten in der Wurzel erfroren, aber deine oberen Teile blühen noch ein wenig, und deshalb denkst du, dass du noch lebst und blühst. Lasst uns auf natürliche Weise reifen: Warum entblößt ihr uns? Warum zwingt ihr uns? Wir sind noch nicht fähig, die Luft zu ertragen. Lass die Wurzel wachsen, dann das erste Gelenk, dann das zweite, dann das dritte: So wird sich die Frucht auf natürliche Weise herausdrängen, auch wenn ich es nicht will. Denn wer, der schwanger und von so großen Prinzipien erfüllt ist, nimmt nicht auch seine eigenen Kräfte wahr und bewegt sich zu den entsprechenden Handlungen? Ein Stier weiß nicht um seine eigene Natur und seine Kräfte, wenn sich ein wildes Tier zeigt, noch wartet er darauf, dass man ihn antreibt; auch ein Hund nicht, wenn er ein wildes Tier sieht. Wenn ich aber die Kräfte eines guten Menschen habe, soll ich dann darauf warten, dass du mich auf meine eigenen Taten vorbereitest? Im Augenblick habe ich sie nicht, glaubt mir. Warum wollt ihr dann, dass ich vor der Zeit verdorren soll, wie ihr verdorrt seid?

Von der Lektion...

Beurteilen oder bezeichnen Sie jemanden nicht nur aufgrund oberflächlicher Eigenschaften oder Handlungen; konzentrieren Sie sich stattdessen auf seine Prinzipien und sein Verhalten, um seinen wahren Charakter genau zu bestimmen.

Zur Aktion!

(1) Loben oder tadeln Sie eine Person nicht aufgrund von oberflächlichen Eigenschaften oder Handlungen.

(2) Vermeiden Sie Annahmen über die Fähigkeiten einer Person ohne entsprechende Kenntnisse.

(3) Bevor Sie jemanden loben oder tadeln, sollten Sie verstehen, welche Meinungen und Absichten hinter seinem Handeln stehen.

(4) Beurteilen Sie den Beruf oder das Fachwissen einer Person nicht aufgrund von Äußerlichkeiten oder Stereotypen.

(5) Beurteilen Sie einen Philosophen nach der Einhaltung seiner Prinzipien und Handlungen und nicht nur nach seinem Aussehen oder Verhalten.

(6) den Beruf des Philosophen schätzen und respektieren und ihn als eigenständigen und wichtigen Bereich anerkennen.

(7) Konzentrieren Sie sich auf die Substanz und das Wesen der Arbeit eines Philosophen und nicht auf oberflächliche Merkmale wie Kleidung oder Frisur.

(8) Behaupten Sie nicht, ein Philosoph zu sein, der sich nur auf Äußerlichkeiten stützt, sondern verkörpern Sie die Grundsätze und Praktiken der Philosophie.

(9) Versuchen Sie, ein tugendhaftes und ehrenhaftes Leben zu führen, anstatt nach äußerer Anerkennung oder Bestätigung zu suchen.

(10) Rühmen Sie sich nicht damit, frei von Leidenschaft oder Störungen zu sein, ohne diese Eigenschaften in Ihrem Handeln und Verhalten tatsächlich zu verkörpern.

(11) Anstatt philosophische Tugenden zu verkünden, sollten Sie sie durch Ihr eigenes Verhalten und Ihren Charakter vorleben.

(12) Seien Sie bescheiden und konzentrieren Sie sich auf persönliches Wachstum und Verbesserung, anstatt nach Ruhm oder Status zu streben.

(13) Kultivieren Sie Ihre eigene Philosophie und leben Sie nach ihren Grundsätzen, unabhängig von der Meinung oder Anerkennung anderer.

(14) Seien Sie geduldig und lassen Sie persönliches Wachstum und Entwicklung auf natürliche Weise geschehen, anstatt sie zu überstürzen oder zu erzwingen.

(15) Den natürlichen Prozess der Reifung und des Wachstums bei sich selbst und anderen erkennen und schätzen.

(16) Vermeiden Sie voreilige Annahmen oder Urteile über eigene oder fremde Fähigkeiten und Leistungen.

(17) Legen Sie nicht Ihre eigenen Erwartungen oder Zeitpläne für die persönliche Entwicklung fest, sondern lassen Sie zu, dass sie sich in ihrer eigenen Zeit entfaltet.

KAPITEL 9

— An eine Person, die zu einem Charakter der Schamlosigkeit verändert worden war

In unserem Streben nach Macht, Reichtum und körperlicher Attraktivität vernachlässigen wir oft die Bedeutung von Zufriedenheit und Selbstbeherrschung. In diesem aufschlussreichen Text geht der Autor der Frage nach, ob echte Zufriedenheit nicht aus dem Erwerb materieller Besitztümer oder dem Genuss vorübergehender Vergnügungen resultiert, sondern vielmehr aus der Anerkennung und Wertschätzung dessen, was wir bereits besitzen. Indem er die potenziellen Gefahren des Begehrens nach dem, was andere haben, beleuchtet, ermutigt der Autor die Leser, die Bedeutung von Bescheidenheit, Anstand und einem starken Selbstbewusstsein zu berücksichtigen. Durch Selbstbeobachtung und das Streben nach persönlichem Wachstum kann der Einzelne seine innere Integrität zurückgewinnen und ein Gefühl der Erfüllung entwickeln, das jeden äußeren Maßstab für Erfolg übertrifft.

Persönliche Integrität und Selbstbeherrschung wiedererlangen

Wenn du einen anderen Menschen siehst, der Macht hat, denke daran, dass es dir nicht an Macht mangelt. Wenn du einen anderen Menschen siehst, der reich ist, dann überlege, was du anstelle von

Reichtum hast. Wenn du nichts anstelle von Reichtum hast, dann bist du unglücklich. Wenn du aber nicht nach Reichtum strebst, dann wisse, dass du mehr besitzt als diese Person und dass es viel mehr wert ist. Ein anderer Mann mag eine schöne Frau haben, aber du hast die Genugtuung, keine schöne Frau zu begehren. Kommen Ihnen diese Dinge unbedeutend vor? Was würden diese Menschen, die reich und in Machtpositionen sind und wunderschöne Partnerinnen haben, dafür geben, dass sie auf Reichtum, Macht und eben diese Frauen, die sie lieben und genießen, verzichten können? Verstehen Sie nicht die intensive Sehnsucht eines Menschen, der Fieber hat? Es ist etwas völlig anderes als der Durst eines gesunden Menschen. Der Durst eines gesunden Menschen wird nach dem Trinken gestillt, aber ein kranker Mensch empfindet, auch wenn er vorübergehend Freude empfindet, Übelkeit. Sie wandeln das Getränk in Galle um, erbrechen, bekommen Krämpfe und werden noch durstiger. Es ist ähnlich, wie wenn man Reichtümer begehrt und sie besitzt, wenn man Macht begehrt und sie hat, wenn man eine schöne Frau begehrt und mit ihr schläft. Dazu kommen noch Eifersucht, die Angst, das zu verlieren, was man liebt, unanständige Worte, unanständige Gedanken und unangemessene Handlungen.

"Und was habe ich verloren?", fragst du. Mein Freund, Sie waren einmal bescheiden, aber jetzt sind Sie es nicht mehr. Hast du denn nichts verloren? Anstatt die Werke von Chrysippus und Zeno zu lesen, gibst du dich jetzt den Werken von Aristides und Evenus hin. Hast du nichts verloren? Statt Sokrates und Diogenes zu bewundern, bewunderst du jetzt diejenigen, die die Frauen am meisten verderben und verführen können. Du strebst danach, gut auszusehen und versuchst, dich so zu machen, obwohl du es nicht bist. Du stellst gerne luxuriöse Kleidung zur Schau, um Frauen anzuziehen, und wenn du ein gutes Öl findest, glaubst du, dass es dir Glück bringt. Aber früher hast du nie über solche Dinge nachgedacht; du hast dich darauf konzentriert, anständige Gespräche zu führen, ein ehrbarer Mann zu sein und edle Ziele zu verfolgen. Infolgedessen schliefen Sie wie ein Mann, gingen selbstbewusst, kleideten sich würdevoll und sprachen so, wie es sich für einen guten Menschen gehört. Und jetzt sagst du zu mir: "Ich habe nichts verloren"? Sind Männer also nur in der Lage, materiellen Besitz zu verlieren? Ist die Bescheidenheit nicht verloren gegangen? Ist das richtige Verhalten nicht verloren gegangen? Ist es nicht ein Verlust für jemanden, der diese Tugenden verloren hat? Vielleicht denken Sie, dass es sich nicht lohnt, diese Dinge zu verlieren. Es gab jedoch eine Zeit, in der Sie diese Dinge als die einzigen betrachteten, die es wert waren, verloren zu gehen und Schaden zu nehmen, und Sie waren entschlossen, sich vor jedem zu schützen, der Sie von diesen Prinzipien und Handlungen abbringen wollte.

Sie stören sich an diesen guten Worten und Taten, niemand sonst tut das. Kämpfen Sie mit sich selbst, stellen Sie Ihren Anstand, Ihre Bescheidenheit und Ihre Freiheit wieder her. Wenn dir jemals jemand gesagt hätte, dass mich jemand zwingt, eine Ehebrecherin zu sein, ein Kleid wie das deine zu tragen oder mich mit Ölen zu parfümieren, wärst du dann nicht hingegangen und hättest den Mann, der mich verleumdet hat, eigenhändig getötet? Willst du dir nicht selbst helfen? Und wie viel einfacher ist diese Hilfe? Es ist nicht nötig, jemanden zu töten, in Ketten zu legen, ihn respektlos zu behandeln oder öffentliche Plätze aufzusuchen. Du musst nur mit dir selbst sprechen, denn du bist derjenige, der leicht zu überzeugen ist. Verurteile zuerst, was du tust, und dann, nachdem du es verurteilt hast, verliere nicht die Hoffnung in dich selbst. Seien Sie nicht wie jene willensschwachen Menschen, die, wenn sie einmal nachgeben, sich völlig hingeben und wie ein Fluss mitgerissen werden. Schauen Sie sich an, was Trainer von Jungen tun. Ist der Junge gestürzt? "Steh auf", sagen sie, "kämpfe weiter, bis du stark bist". Tun Sie etwas Ähnliches: Seien Sie zuversichtlich, dass nichts so formbar ist wie die menschliche Seele. Du musst deinen Willen einsetzen, und die Aufgabe wird erfüllt werden. Wenn Sie hingegen nachlässig werden, ist alles verloren. Zerstörung und Rettung kommen beide von innen. "Aber welchen Nutzen habe ich davon?" Welchen größeren Nutzen können Sie sich wünschen? Wenn du schamlos bist, wirst du bescheiden werden. Von der Unordnung wirst du zur Ordnung kommen. Von der Treulosigkeit wirst du zur Treue gelangen. Von unkontrollierten Gewohnheiten wirst du nüchtern werden. Wenn

du mehr als das suchst, mach weiter wie bisher: Nicht einmal ein
Gott kann dir jetzt helfen.

Von der Lektion...

Besinnen Sie sich auf Ihren eigenen Segen und Ihre
Zufriedenheit, anstatt das zu begehren, was andere besitzen, denn das
wahre Glück liegt in der Wertschätzung dessen, was Sie bereits
haben.

Zur Aktion!

(1) Denken Sie über die Dinge nach, die Sie anstelle der von anderen
gewünschten Eigenschaften wie Macht und Reichtum besitzen.
(2) Kultivieren Sie die Befriedigung, nicht zu begehren, was andere
besitzen, wie einen schönen Ehepartner.
(3) Erkennen Sie den Wert der Zufriedenheit ohne materielle
Besitztümer oder attraktive Partner.
(4) Verstehen Sie die Folgen von Begierde, Eifersucht und Angst im
Zusammenhang mit Reichtum, Macht und Liebe.
(5) Beurteilen Sie den Verlust von Bescheidenheit und anständigem
Verhalten zugunsten von oberflächlichen Eigenschaften und
Handlungen.
(6) Übernehmen Sie die Verantwortung für die Störung in Ihrem
Inneren und bemühen Sie sich um die Wiederherstellung von
Anstand und Freiheit.
(7) Denken Sie daran, wie einfach es ist, sich selbst zu helfen, indem
Sie mit sich selbst sprechen, denn Sie haben die Macht, sich selbst zu
überzeugen.
(8) Verurteilen Sie Ihr derzeitiges Handeln und verzweifeln Sie
nicht, trotz der Fehler der Vergangenheit.
(9) Streben Sie ständig nach Verbesserung, so wie Trainer Jungen
ermutigen, nach einem Sturz wieder aufzustehen und es erneut zu
versuchen.
(10) Üben Sie Ihre Willenskraft aus, um die Dinge in Ordnung zu
bringen und das Risiko der Selbstzerstörung zu mindern.
(11) Erkennen Sie das Potenzial für eine positive Veränderung, z. B.
ein bescheidener, ordentlicher und gläubiger Mensch zu werden.

(12) Erkennen Sie das höchste Gut der persönlichen Entwicklung und Entfaltung an.

(13) Verstehen Sie, dass es sinnlos ist, externe Hilfe zu suchen oder sich auf die Götter zu verlassen, wenn Sie nicht aktiv an sich selbst arbeiten.

KAPITEL 10

— Was wir verachten sollen und was wir schätzen sollen

Inmitten der Ungewissheiten und Herausforderungen des Lebens Ruhe zu finden, ist ein universeller Wunsch. Angesichts der äußeren Umstände und der Grenzen unserer Kontrolle werden viele Menschen von Ängsten und Befürchtungen geplagt. Es ist jedoch wichtig zu erkennen, dass die wahre Macht in unserem eigenen Willen liegt, und wenn wir die natürliche Ordnung verstehen und uns daran halten, können wir die Widrigkeiten des Lebens mit Zuversicht und Anmut meistern. Dieser Text erforscht die Weisheit, sich auf unsere eigenen Handlungen und Bedingungen zu konzentrieren, anstatt sich von Sorgen über äußere Ereignisse, Wünsche oder Vermeidungen aufzehren zu lassen. Wenn wir uns diese Philosophie zu eigen machen, können wir zielstrebig leben und all dem, was das Leben uns bietet, mit Widerstandsfähigkeit und Integrität begegnen.

Die Bedeutung von Konzentration und Akzeptanz im Leben

Die Schwierigkeiten, mit denen alle Menschen konfrontiert sind, haben mit äußeren Dingen zu tun. Ihre Hilflosigkeit rührt von diesen äußeren Faktoren her. "Was soll ich tun? Wie wird es sich entwickeln? Wird dies geschehen? Wird das?" Dies sind die Worte derer, die sich mit Dingen beschäftigen, die außerhalb ihrer Kontrolle liegen. Denn wer würde sagen: "Wie kann ich nicht an etwas Falsches glauben? Wie kann ich mich nicht von der Wahrheit abwenden?" Wenn ein Mensch so gutmütig ist, dass er sich über diese Dinge Sorgen macht, werde ich ihn daran erinnern: "Warum bist du besorgt? Du hast die Macht, die Situation zu kontrollieren. Seien Sie zuversichtlich und stimmen Sie nicht vorschnell zu, bevor Sie die natürliche Regel anwenden. Wenn eine Person dagegen wegen eines Wunsches ängstlich ist, weil sie befürchtet, dass er nicht zum gewünschten Ergebnis führt, und weil sie Dinge vermeiden will, die sie vermeiden möchte, werde ich sie zunächst dafür loben, dass sie sich nicht von den Sorgen und Ängsten anderer aufhalten lässt und sich stattdessen auf ihre eigenen Angelegenheiten und ihr Wohlergehen konzentriert. Dann werde ich zu ihnen sagen: "Wenn du dich dafür entscheidest, nicht zu begehren, was du nicht bekommen kannst, und dich nicht vor Dingen drückst, die außerhalb deiner Kontrolle liegen, dann begehre nicht, was anderen gehört, und versuche nicht, Situationen zu entkommen, die nicht in deiner Macht liegen. Wenn du diesen Grundsatz nicht befolgst, wirst du unweigerlich von deinen Wünschen verzehrt und gerätst in genau die Dinge, die du vermeiden willst. Wo liegt hier die Schwierigkeit? Wo bleibt der Raum für die Fragen 'Wie wird es sein?' und 'Wie wird es sich entwickeln?' und 'Wird dies oder jenes geschehen?'"

Ist es nicht so, dass das, was geschehen wird, nicht unabhängig vom eigenen Willen ist? "Ja." Und liegt die Natur von Gut und Böse nicht in den Dingen, die in der Macht des eigenen Willens liegen? "Ja." Kannst du also alles kontrollieren und auf alles reagieren, was von Natur aus geschieht? Kann dich jemand aufhalten? "Keiner." Fragt mich also nicht: "Wie wird es sein?" Denn egal, wie es sein wird, du wirst es gut meistern, und das Ergebnis wird für dich glücklich sein. Was wäre aus Herkules geworden, wenn er gesagt hätte: "Wie kann ich verhindern, dass ein wilder Löwe, ein großes Wildschwein oder gewalttätige Männer vor mir erscheinen?" Und warum sollte dich das etwas angehen? Wenn ein großes Wildschwein auftaucht, wirst du einen größeren Kampf bestreiten. Wenn böse Menschen auftauchen, wirst du die Welt von ihrem Übel befreien. "Aber was ist, wenn ich dabei sterbe?" Du wirst als guter Mensch sterben, der eine edle Tat vollbracht hat. Da der Tod unvermeidlich ist, muss der Mensch bei irgendetwas gefunden werden, sei es beim Ackerbau, beim Graben, beim Handel, beim Dienst als Konsul oder sogar bei Verdauungsstörungen oder Durchfall. Was würden Sie also tun wollen, wenn der Tod Sie findet? Ich persönlich würde etwas tun wollen, das wirklich menschlich, wohltätig, gemeinwohlorientiert und edel ist. Aber wenn ich schon nicht so etwas Großartiges tun kann, dann möchte ich wenigstens das tun, woran ich nicht gehindert werden kann, was ich tun darf - mich selbst korrigieren, die Wahrnehmungsfähigkeit kultivieren, nach Freiheit von negativen Emotionen streben, die Pflichten in Beziehungen erfüllen und, wenn mir das gelingt, auch ein gesundes Urteilsvermögen über die Dinge üben. Wenn mich der Tod überrascht, während ich mich mit diesen Dingen beschäftige, reicht es mir, meine Hände zu Gott auszustrecken und zu sagen: "Ich habe die Fähigkeiten, die Du mir gegeben hast, um Deine Führung zu beobachten und zu befolgen, nicht vernachlässigt. Ich habe Dich mit meinem Handeln nicht entehrt. Sieh dir an, wie ich meine Wahrnehmungen und meine Vorurteile genutzt habe. Habe ich Dich jemals beschuldigt? War ich mit irgendetwas unzufrieden oder wollte ich, dass es anders ist? Habe ich mir gewünscht, die Bande von Beziehungen zu verletzen? Ich danke Dir, dass Du mir das Leben geschenkt hast und für all die Dinge, die Du mir gegeben hast. Solange ich das, was Dir gehört, genutzt habe, bin ich zufrieden. Nimm es zurück und lege es dorthin, wo Du es willst, denn alles ist Dein, und Du hast es mir gegeben." Reicht es nicht, mit einer solchen Einstellung aus diesem Leben zu gehen? Und welches Leben ist besser und passender als das eines Menschen, der diese Geisteshaltung besitzt? Und welches Ende könnte glücklicher sein?

Um dies zu erreichen, darf der Mensch keine kleinen Dinge übersehen, denn sie sind nicht unbedeutend. Du kannst nicht wünschen, ein Konsul zu sein und diese Dinge zu besitzen, und auch eifrig sein, Land und andere Besitztümer zu erwerben, während du dich gleichzeitig um Sklaven und dich selbst sorgst. Wenn du aber etwas begehrst, das einem anderen gehört, wirst du das verlieren, was dir rechtmäßig gehört. So ist das nun einmal: Nichts wird ohne Anstrengung gegeben oder erlangt. Und warum sollte das überraschend sein? Wenn du Konsul werden willst, musst du wachsam sein, herumlaufen, übermäßig schmeicheln, dich an den Türen anderer verausgaben, Dinge sagen und tun, die ein freier Mensch nicht tun sollte, und vielen Geschenke machen, einigen täglich. Und was hast du von all dem? Zwölf Rutenbündel, ein paar Auftritte vor dem Tribunal, die Ausrichtung von Veranstaltungen im Zirkus und die Bereitstellung von Mahlzeiten in kleinen Körben. Oder, wenn Sie mir in diesem Punkt nicht zustimmen, zeigen Sie mir, was es sonst noch gibt. Um also Freiheit von Leidenschaften und inneren Frieden zu erlangen, um gut zu schlafen, wenn du schläfst, um wirklich wach zu sein, wenn du wach bist, um nichts zu fürchten und um nichts besorgt zu sein, wirst du nichts ausgeben und keine Mühe aufwenden? Aber wenn etwas, das dir gehört, verloren geht, während du mit all diesen Dingen beschäftigt bist, oder unsachgemäß vergeudet wird, oder wenn jemand anderes das erhält, was du hättest erhalten sollen, wirst du dich dann sofort über das Geschehene aufregen? Wirst du nicht bedenken, was du im Gegenzug erhalten hast und zu welchem Preis, und wie viel du für wie viel gegeben hast? Erwarten Sie wirklich, so große Dinge umsonst zu bekommen? Und wie sollte das möglich sein? Das eine hat mit dem anderen nichts zu tun. Man kann nicht beides haben, materiellen Besitz, nachdem man ihm Aufmerksamkeit geschenkt hat, und den eigenen rationalen Verstand. Wenn Sie diese materiellen Besitztümer wollen, dann geben Sie Ihren rationalen Verstand auf. Wenn du das nicht tust, wirst du weder das eine noch das andere haben, denn du wirst von beiden in verschiedene Richtungen gezogen werden. Das Öl wird auslaufen, die Haushaltsgegenstände werden zerbrechen, aber ich werde frei von Leidenschaften sein. Vielleicht brennt es, wenn ich nicht anwesend bin, und meine Bücher werden zerstört, aber ich werde auf diese Ereignisse im Einklang mit der Natur reagieren. "Aber dann werde ich nichts zu essen haben." Wenn ich so unglücklich bin, ist der Tod eine Zuflucht, und der Tod ist eine Zuflucht für jeden. Der Tod ist ein sicherer Zufluchtsort, weshalb nichts im Leben schwierig ist: Sobald du dich dafür entscheidest, kannst du das Haus verlassen und erlebst keine Mühsal mehr. Warum sind Sie also ängstlich? Warum verlieren Sie den Schlaf? Warum sagen Sie nicht sofort, nachdem Sie überlegt haben, wo Ihr wahres Gut und Ihr wahres Übel liegt: "Ich habe die Kontrolle über beides? Niemand kann mir das Gute wegnehmen, noch kann mich jemand gegen meinen Willen dem Bösen unterwerfen. Warum lege ich mich nicht einfach hin und schnarche? Alles, was ich besitze, ist sicher. Was die Dinge betrifft, die anderen gehören, so wird derjenige, der sie erlangt, für sie sorgen, da sie von demjenigen bereitgestellt werden, der die Macht hat. Wer bin ich, dass ich denke, dass ich sie auf diese oder jene Weise haben sollte? Habe ich die Fähigkeit, sie zu wählen? Hat mich jemand beauftragt, sie zu verteilen? Ich habe genug Kontrolle über die Dinge, die mir gehören; ich sollte sie so gut verwalten, wie ich kann. Was alles andere angeht, überlasse ich es dem Ermessen des Meisters.

Wenn ein Mann diese Dinge vor Augen hat, bleibt er dann wach und dreht sich um? Was würde er wollen oder was bedauert er, Patroklos oder Antilochus oder Menelaos? Wann hat er gedacht, dass einer seiner Freunde unsterblich ist, und wann hat er nicht daran gedacht, dass er oder sein Freund morgen oder übermorgen sterben könnte? "Ja", sagt er, "aber ich dachte, dass er mich überleben und meinen Sohn aufziehen würde." Aus diesem Grund waren Sie töricht, und Sie dachten an das, was ungewiss war. Warum gibst du dir also nicht die Schuld und sitzt hier und weinst wie ein Mädchen? "Aber er hat mir immer mein Essen serviert." Weil er lebte, du Narr, aber jetzt kann er es nicht mehr: aber Automedon wird es dir servieren, und wenn Automedon auch stirbt, wirst du einen anderen finden. Aber wenn der Topf, in dem dein Essen gekocht wurde, zerbricht, wirst du dann vor Hunger sterben, weil du nicht den Topf hast, den du gewohnt bist? Schickst du nicht jemanden, um einen neuen Topf zu kaufen? Er sagt: "Eine größere Not kann mir nicht widerfahren."

Warum ist das Ihre Krankheit? Geben Sie dann Ihrer Mutter die Schuld, weil sie nicht vorausgesehen hat, dass Sie seit dieser Zeit weiter trauern würden? Was denkst du? Nimmst du nicht an, dass Homer dies geschrieben hat, um uns zu lehren, dass selbst die Adeligen, die Stärksten, die Reichsten und die Schönsten

93

unglücklich und unglücklich sein können, wenn sie nicht die richtige Gesinnung haben?

Von der Lektion...

Konzentrieren Sie sich auf das, was in Ihrer Macht steht, und lassen Sie die Ängste über Dinge los, die nicht in Ihrer Macht stehen.

Zur Aktion!
---

(1) Hören Sie auf, Ihre Aufmerksamkeit auf Dinge zu richten, auf die Sie keinen Einfluss haben. Konzentrieren Sie sich auf das, was in Ihrer Macht steht, zu ändern oder zu beeinflussen.

(2) Seien Sie nicht ängstlich wegen Wünschen oder Dingen, die Sie vermeiden wollen. Lenken Sie stattdessen Ihre Gedanken und Energie auf Ihre eigenen Angelegenheiten und Ihr persönliches Wachstum.

(3) Erkennen Sie, dass der Ausgang von Ereignissen unabhängig von Ihrem Willen ist. Lernen Sie zu akzeptieren, was auch immer geschieht, und sich darauf einzustellen.

(4) Strebe danach, ein Leben mit Sinn und Tugend zu führen. Sei zufrieden mit den Handlungen und Entscheidungen, die du getroffen hast, und vertraue auf die natürliche Ordnung der Dinge.

(5) Verstehen Sie, dass Sie bereit sein müssen, Zeit und Mühe zu investieren, um Freiheit von Leidenschaften und Gelassenheit zu erreichen. Nichts Großes kommt ohne Arbeit.

(6) Üben Sie sich darin, sich von äußeren Besitztümern und Erfolgen zu lösen. Erkennen Sie, dass Sie nicht gleichzeitig weltliche Errungenschaften und inneren Frieden haben können. Wähle weise.

(7) Lassen Sie unnötige Sorgen und Ängste los. Konzentrieren Sie sich auf das, was wirklich wichtig ist, und akzeptieren Sie, dass der Tod unvermeidlich ist.

(8) Akzeptieren Sie, dass Sie die Macht über Ihre eigenen Gedanken und Handlungen haben. Kümmern Sie sich nach Kräften um das, was in Ihrer Macht steht, und lassen Sie den Rest los.

(9) Akzeptieren Sie, dass Sie die Handlungen und Entscheidungen anderer nicht kontrollieren oder ändern können. Vertrauen Sie auf eine höhere Macht und geben Sie den Wunsch nach Macht über äußere Umstände auf.

(10) Denken Sie daran, dass Zeit, die mit Trauer oder Bedauern über die Vergangenheit verbracht wird, unproduktiv ist. Akzeptieren Sie, was geschehen ist, und konzentrieren Sie sich darauf, mit Widerstandskraft und Stärke vorwärts zu gehen.

(11) Lernen Sie von den Beispielen anderer, die gelitten haben und mit Widrigkeiten konfrontiert wurden. Erkennen Sie, dass selbst die privilegiertesten Menschen unglücklich sein können, wenn sie nicht die richtige Einstellung haben.

(12) Denken Sie über die Unbeständigkeit des Lebens und die Unausweichlichkeit des Todes nach. Nimm den gegenwärtigen Moment an und mach das Beste aus deiner Zeit, solange du sie hast.

KAPITEL 11

— Über Reinheit

Bei der Erforschung des Wesens des Menschen und seiner Unterscheidung von den Tieren stellt sich die Frage, ob soziale Gefühle der menschlichen Natur inhärent sind. Darüber lässt sich zwar streiten, aber ein unbestreitbares Merkmal, das den Menschen auszeichnet, ist seine Liebe zur Reinheit. Wenn wir Tiere bei ihrem Reinigungsverhalten beobachten, stellen wir oft Ähnlichkeiten mit menschlichen Handlungen fest, was den Glauben unterstreicht, dass der Mensch etwas Überlegenes ist. Diese Überlegenheit, so glaubt man, wird von den Göttern verliehen, die rein und unbestechlich sind. Obwohl die menschliche Natur aufgrund ihrer Zusammensetzung von Natur aus unrein ist, ist die Anwendung der Vernunft entscheidend für die Kultivierung der Liebe zur Reinheit. So findet sich die höchste Form der Reinheit in der Seele, die durch die Kultivierung richtiger Ansichten gereinigt wird, wodurch die Seele frei von Störungen und Verunreinigungen sein kann. Eine ähnliche Aufmerksamkeit sollte auch der Reinheit des Körpers gewidmet werden, da die Natur Wege zur Beseitigung von Unreinheiten vorgesehen hat. Die Vernachlässigung dieser Praktiken widerspricht nicht nur dem Wesen des Menschseins, sondern führt auch zu Störungen im Umgang mit anderen. Daher ist es wichtig, sich Sauberkeit zu eigen zu machen und die richtige Hygiene zu pflegen, um sich selbst und der gesellschaftlichen Harmonie willen.

Die Bedeutung der persönlichen Hygiene

Manche Menschen bezweifeln, dass soziales Empfinden in der menschlichen Natur liegt. Ich glaube jedoch, dass dieselben Menschen keinen Zweifel daran haben, dass die Liebe zur Reinheit mit Sicherheit in der Natur des Menschen liegt. Wenn es etwas gibt, das den Menschen von anderen Tieren unterscheidet, dann ist es diese Eigenschaft. Wenn wir ein anderes Tier dabei beobachten, wie es sich reinigt, sind wir oft überrascht und kommentieren, dass es sich wie ein Mensch verhält. Wenn umgekehrt ein Mensch ein Tier wegen seiner Verschmutzung kritisiert, entschuldigen wir das sofort mit der Bemerkung, dass das Tier ja kein Mensch ist. Wir gehen also davon aus, dass dem Menschen etwas Übergeordnetes innewohnt, und dass wir es zuerst von den Göttern erhalten. Da die Götter von Natur aus rein und frei von Verderbnis sind, wird der Mensch, je mehr er sich an die Vernunft hält, umso mehr von der Reinheit und der Liebe zur Reinheit ergriffen. Da die Natur des Menschen jedoch nicht völlig rein sein kann, da sie eine Mischung aus verschiedenen Elementen ist, wird die Vernunft so weit wie möglich eingesetzt, und sie bemüht sich, der menschlichen Natur eine Liebe zur Reinheit einzuflößen.

Die erste und höchste Reinheit ist also die, die in der Seele ist; und dasselbe sagen wir von der Unreinheit. Nun könnte man die Unreinheit der Seele nicht entdecken, wie man die des Körpers entdecken könnte. Was aber die Seele betrifft, was könnte man in ihr anderes finden als das, was sie in Bezug auf die Handlungen, die ihr eigen sind, schmutzig macht? Die Handlungen der Seele sind die Bewegung zu einem Gegenstand oder die Bewegung von ihm weg, das Begehren, die Abneigung, die Vorbereitung, der Entwurf und die Zustimmung. Was ist es also, das die Seele in diesen Handlungen schmutzig und unrein macht? Nichts anderes als ihr eigenes schlechtes Urteilsvermögen. Folglich ist die Unreinheit der Seele die schlechte Meinung der Seele, und die Reinigung der Seele ist die Einpflanzung richtiger Meinungen in sie. Die Seele ist rein, wenn sie richtige Ansichten hat, denn in ihren eigenen Handlungen ist sie frei von Störungen und Verunreinigungen.

Jetzt sollten wir uns auch darauf konzentrieren, unseren Körper so gut wie möglich zu pflegen. Es ist unvermeidlich, dass die Nase läuft, wenn unser Körper eine solche Mischung von Körpersäften enthält. Deshalb hat die Natur uns Hände und Nasenlöcher als Kanäle gegeben, um diese Flüssigkeiten zu entfernen. Wenn eine Person diese Ausscheidungen aufsaugt, dann verhält sie sich nicht wie ein Mensch. Es ist unmöglich, dass die Füße eines Menschen nicht schmutzig werden, wenn er durch schmutzige Orte geht. Deshalb hat die Natur uns Wasser und Hände gegeben. Es ist unvermeidlich, dass nach dem Essen Unreinheiten auf den Zähnen zurückbleiben, und deshalb wird uns gesagt, wir sollen uns die Zähne waschen. Und warum? Damit wir als Menschen und nicht als wilde Tiere oder Schweine angesehen werden können. Es ist unvermeidlich, dass durch den Schweiß und den Druck der Kleidung Verunreinigungen an unserem Körper haften bleiben, weshalb wir Wasser, Öl, Hände, Handtücher, Schaber und manchmal auch andere Mittel brauchen, um uns zu reinigen. Du tust das nicht, aber ein Schmied entfernt Rost von Eisen und hat Werkzeuge für diesen Zweck. Und man wäscht das Geschirr vor dem Essen ab, wenn es nicht völlig verschmutzt ist. Warum also sollte man seinen Körper nicht waschen und sauber halten? "Warum?", fragst du. Lass es mich dir noch einmal sagen: Erstens, damit du dich wie ein Mensch benehmen kannst, und zweitens, damit du die Menschen um dich herum nicht beleidigst. Etwas Ähnliches tust du auch jetzt, aber du merkst es nicht: Du denkst, du hast es verdient, schlecht zu riechen. Gut, du hast es verdient, schlecht zu riechen. Aber glaubst du, dass die Menschen, die neben dir sitzen, mit dir essen oder dich sogar küssen, das auch verdienen? Entweder du gehst an einen verlassenen Ort, wo du hingehörst, oder du lebst allein und erträgst deinen eigenen Geruch. Es ist nur fair, dass du allein unter deiner eigenen Unreinheit leidest. Aber wenn du in der Stadt bist und dich so gedankenlos und töricht verhältst, was glaubst du, was für ein Mensch du bist? Wenn die Natur dir ein Pferd anvertraut hätte, würdest du es vernachlässigen und vernachlässigen? Nun, stellen Sie sich vor, Ihr eigener Körper wäre Ihnen wie ein Pferd anvertraut; waschen Sie ihn, putzen Sie ihn, achten Sie darauf, dass niemand Ihnen ausweicht oder sich von

Ihnen entfernt. Aber wer würde einen schmutzigen Menschen, einen übel riechenden Menschen, jemanden mit einer schmutzigen Haut nicht eher meiden als jemanden, der mit Schlamm bedeckt ist? Der Geruch von Schmutz ist äußerlich, er wird einem aufgedrückt; aber der andere Geruch ist auf mangelnde Pflege zurückzuführen, er ist innerlich und ist fast wie ein verwesender Körper.

"Aber Sokrates hat sich selten gewaschen." Ja, aber sein Körper war sauber und attraktiv, und er war so angenehm und wohltuend, dass die schönsten und vornehmsten Menschen ihn liebten und es vorzogen, neben ihm zu sitzen, anstatt an der Seite derjenigen, die die attraktivste Erscheinung hatten. Er hatte die Wahl, das Bad zu benutzen oder sich selbst zu waschen, und dennoch hatte sein seltener Gebrauch von Wasser eine Wirkung. Wenn du dich nicht mit warmem Wasser waschen willst, wasche dich stattdessen mit kaltem Wasser. Aristophanes sagt jedoch: "Ich beziehe mich auf diejenigen, die blass und barfuß sind".

Aristophanes behauptet, Sokrates könne auf Luft gehen und Kleider aus der palaestra stehlen. Alle Schriften über Sokrates beweisen jedoch das Gegenteil; sie beschreiben ihn nicht nur als angenehm zum Zuhören, sondern auch als angenehm zum Anschauen. Das Gleiche kann man von Diogenes sagen. Wir sollten die Menschen nicht allein aufgrund des äußeren Erscheinungsbildes davon abhalten, sich der Philosophie zu widmen. So wie ein Philosoph auch in anderen Bereichen des Lebens Heiterkeit und Gelassenheit an den Tag legen sollte, so sollte er dies auch in Bezug auf seinen physischen Körper zeigen. Der Philosoph sollte sagen: "Seht, Leute, ich habe nichts und will nichts. Seht, wie ich ohne Haus, ohne Stadt und, wenn nötig, im Exil leben kann. Ohne einen Herd lebe ich ein Leben ohne Sorgen und bin glücklicher als die, die edel geboren und wohlhabend sind. Aber sieh auch meinen armen Körper an und sieh, dass er durch meine schwierige Lebensweise nicht geschädigt wird." Wenn aber jemand, der wie ein Verurteilter aussieht und sich so verhält, dies zu mir sagt, warum sollte ich dann überzeugt sein, Philosophie zu betreiben, wenn sie Menschen zu solchen Menschen macht? Nein, ich würde mich nicht dafür entscheiden, nicht einmal, wenn ich ein weiser Mensch werden würde. Ich würde es sogar vorziehen, wenn ein junger Mann, der sich auf den Weg der Philosophie macht, mit gepflegtem Haar zu mir käme und nicht mit schmutzigem, ungepflegtem Haar. Das zeigt, dass er ein Verständnis für Schönheit und den Wunsch hat, vorzeigbar zu sein. Ich würde ihn dann anleiten und sagen: "Junger Mann, du suchst nach Schönheit, und das ist lobenswert. Du musst wissen, dass sie in dir wächst, wo dein rationaler Verstand wohnt. Suche sie in der Art und Weise, wie du dich den Dingen näherst und dich von ihnen entfernst, in deinen Wünschen und Abneigungen. Denn dies ist der höhere Teil von dir. Was deinen physischen Körper betrifft, so ist er nur irdischer Natur. Warum solltest du deine Energie darauf verschwenden? Selbst wenn du nichts anderes lernst, wird die Zeit dir offenbaren, dass der Körper unbedeutend ist." Wenn aber eine Person auf mich zukommt, schmutzig und mit einem Schnurrbart, der ihr bis zu den Knien reicht, was kann ich ihr dann sagen? Wie kann ich sie durch irgendeine Art von Ähnlichkeit überzeugen? Womit hat sich diese Person beschäftigt, das der Schönheit ähnelt, und das ich nutzen könnte, um ihre Perspektive zu ändern? Soll ich ihnen sagen, dass Schönheit nicht bedeutet, mit Schmutz bedeckt zu sein, sondern dass sie im rationalen Teil des Menschen liegt? Begehren sie überhaupt Schönheit? Haben sie überhaupt eine Vorstellung davon in ihrem Kopf? Es wäre passender, dieses Gespräch mit einem Schwein zu führen und ihm zu sagen, dass es sich nicht im Schlamm suhlen soll.

Aus diesem Grund berührten die Worte des Xenokrates auch Polemon, denn auch er war ein Liebhaber der Schönheit. Er hatte gewisse Neigungen zur Schönheitsliebe in sich, aber er suchte sie an der falschen Stelle. Schließlich hat die Natur nicht einmal die Tiere, die mit den Menschen zusammenleben, schmutzig gemacht. Suhlen sich Pferde jemals im Schlamm? Oder wohlerzogene Hunde? Es sind die Schweine, die schmutzigen Gänse, die Würmer und Spinnen, die das tun, und sie sind aus dem menschlichen Umfeld verbannt. Willst du als Mensch lieber wie diese Tiere sein als wie die, die mit dem Menschen leben? Wirst du nicht einen Weg und eine Zeit finden, dich zu waschen? Willst du deinen Körper nicht von Schmutz befreien? Wirst du dich nicht in einer sauberen Weise präsentieren, so dass diejenigen, die mit dir verkehren, sich an deiner Gesellschaft erfreuen können? Kannst du nicht einmal die Tempel mit uns betreten, ohne in einem solchen Zustand zu sein, einem Zustand, in dem Spucken oder Nasenschnäuzen nicht erlaubt ist, und doch bist du ein Haufen von Spucke und Rotz? Wann erwartet ihr denn, dass jemand von euch verlangt, euch zu schmücken? Ganz im Gegenteil, wir sollen nur das schmücken, was wir von Natur aus sind, unsere Vernunft, unsere Meinungen, unsere Handlungen. In Bezug auf den Körper sollten wir nur Reinheit anstreben, nur darauf achten, nicht zu verletzen. Wenn dir aber jemand sagt, du sollst keine purpurfarbenen Kleider tragen, dann geh und beschmiere deinen Mantel mit Schmutz oder zerreiße ihn. "Aber wie soll ich einen sauberen Mantel bekommen?" Mein Freund, du hast Wasser. Wasche ihn. Hier steht ein junger Mann, der es wert ist, geliebt zu werden, ein alter Mann, der es wert ist, Liebe zu geben und zu empfangen. Er ist geeignet, das Kind eines anderen zu unterrichten, jemand, zu dem Töchter und junge Männer kommen können, wenn sich die Gelegenheit ergibt, ohne dass der Lehrer seine Lektionen auf einem Misthaufen erteilen muss. Dies soll nicht so sein. Jede Abweichung entspringt etwas, das der menschlichen Natur innewohnt, aber das ist fast etwas, das gar nicht zur menschlichen Natur gehört.

Von der Lektion...

Legen Sie Wert auf die Läuterung Ihrer Seele durch angemessene Meinungen, halten Sie Ihren Körper sauber und bedenken Sie die Auswirkungen Ihres Handelns auf andere.

Zur Aktion!

(1) Die soziale Natur des Menschen und die Bedeutung sozialer Beziehungen erkennen und anerkennen.
(2) Verstehen Sie, dass die Liebe zur Reinheit der menschlichen Natur innewohnt, und bemühen Sie sich um Sauberkeit und Reinheit in Körper und Seele.
(3) Erkennen Sie an, dass schlechte Urteile und Meinungen die Quelle der Unreinheit in der Seele sind, und arbeiten Sie daran, die

Seele zu reinigen, indem Sie richtige Meinungen und Überzeugungen kultivieren.

(4) Regelmäßige Hygiene und Sauberkeit des Körpers, wie Waschen, Baden und Pflege des persönlichen Aussehens.

(5) Verwenden Sie die richtigen Werkzeuge und Methoden, wie Wasser, Öl, Handtücher und Schaber, um die Karosserie effektiv zu reinigen.

(6) Vernachlässigen Sie die persönliche Hygiene und Sauberkeit nicht, da dies zu Geruchsbelästigung und Unbehagen bei sich und anderen führen kann.

(7) Erkennen Sie den Wert des Aussehens in der Philosophie und wie wichtig es ist, sich sauber und vorzeigbar zu präsentieren, um andere für die Philosophie zu interessieren.

(8) Verstehen Sie, dass die wahre Schönheit im rationalen Teil des eigenen Wesens liegt und nicht im äußeren Erscheinungsbild oder in materiellen Besitztümern.

(9) Suche die Schönheit in dir selbst durch die Kultivierung der rationalen Fähigkeiten und tugendhafte Handlungen.

(10) Vermeiden Sie es, Schönheit in äußerem Schmuck oder oberflächlichen Äußerlichkeiten zu suchen.

(11) Denken Sie daran, wie wichtig Sauberkeit und Reinheit auch in heiligen und öffentlichen Räumen sind, und vermeiden Sie Verhaltensweisen, die als beleidigend oder respektlos angesehen werden könnten.

(12) Verstehen, dass persönliche Hygiene ein Ausdruck von Respekt vor sich selbst und Rücksichtnahme auf andere ist.

(13) Nutzen Sie die Gelegenheit, Ihren Körper zu reinigen und zu pflegen, um sich selbst zu pflegen und sich auszudrücken.

(14) Bemühen Sie sich, eine Person zu sein, mit der andere gerne zusammen sind, indem Sie auf Sauberkeit achten und sich sauber und vorzeigbar präsentieren.

(15) Erkennen Sie, dass die persönliche Hygiene ein Teil des allgemeinen Wohlbefindens ist und nicht vernachlässigt werden sollte.

(16) Nutzen Sie Wasser und andere verfügbare Ressourcen, um die Sauberkeit aufrechtzuerhalten, anstatt sich auf äußere Verzierungen oder materielle Besitztümer zu verlassen.

(17) Verstehen Sie, dass die Abweichung von Sauberkeit und Hygiene eine Entscheidung ist und nicht der natürlichen Veranlagung des Menschen entspricht.

KAPITEL 12

— Über Aufmerksamkeit

Achten Sie sorgfältig auf die Folgen Ihres Handelns, denn sobald Sie zulassen, dass Ihre Aufmerksamkeit nachlässt, riskieren Sie, sich eine Gewohnheit der Unaufmerksamkeit anzueignen, die Ihre Fähigkeit, im Einklang mit der Natur zu leben, beeinträchtigt. Machen Sie sich nicht vor, dass Sie Ihre Aufmerksamkeit leicht zurückgewinnen können; verstehen Sie stattdessen, dass Sie jedes Mal, wenn Sie die Aufmerksamkeit auf das Wesentliche verschieben, die Gelegenheit verspielen, wahres Glück zu erfahren und ein tugendhaftes Leben zu führen. Ob Sie nun spielen oder singen wollen, denken Sie daran, dass jeder Aspekt des Lebens Ihre ungeteilte Aufmerksamkeit erfordert. Wenn Sie das nicht tun, werden Sie nur aus einem Impuls heraus handeln und es fehlt Ihnen an Anstand, Bescheidenheit und Mäßigung. Übernehmen Sie die Kontrolle über Ihren Geist und üben Sie Autorität über Ihre Handlungen aus, denn nur so können Sie vermeiden, von äußeren Faktoren beeinflusst zu werden, und Ihre Prinzipien aufrechterhalten.

Die Bedeutung ständiger Aufmerksamkeit und der Vermeidung von Prokrastination

---

Wenn Sie kurzzeitig die Konzentration verloren haben, gehen Sie nicht davon aus, dass Sie sie bei Gelegenheit wiederfinden werden. Erinnern Sie sich stattdessen daran, dass dieses Versäumnis dazu führen wird, dass Ihre Angelegenheiten in Zukunft in einem schlechteren Zustand sein werden. Erstens wird die Unaufmerksamkeit zur Gewohnheit, gefolgt von der Gewohnheit, sich ständig über Ihre Pflichten hinwegzusetzen. Durch wiederholtes Aufschieben berauben Sie sich selbst eines Lebens, das von Glück, richtigem Verhalten und Einklang mit der Natur erfüllt ist. Wenn das Aufschieben tatsächlich von Vorteil ist, dann muss das völlige Ignorieren von Verantwortung sogar noch mehr sein. Wenn aber Aufschieben nicht vorteilhaft ist, warum sollte man dann nicht einen ständigen Zustand der Aufmerksamkeit aufrechterhalten? Wenn man sich entscheidet zu spielen, sollte man das dann nicht mit Konzentration tun? Wenn Sie singen wollen, was hindert Sie daran, es mit Aufmerksamkeit zu tun? Gilt Aufmerksamkeit nicht für alle Aspekte des Lebens? Würden Sie mit Aufmerksamkeit schlechtere Leistungen erbringen als ohne? Kann eine Aufgabe im Leben verbessert werden, wenn man nicht aufmerksam ist? Leistet ein Holzarbeiter bessere Arbeit, wenn er sich nicht konzentriert? Kann ein Schiffskapitän effektiver navigieren, wenn er nicht aufmerksam ist? Wird irgendeine der kleineren Aufgaben durch Unaufmerksamkeit effektiver erledigt? Ist Ihnen nicht klar, dass es unmöglich ist, die Kontrolle wiederzuerlangen und nach Anstand, Bescheidenheit oder Mäßigung zu handeln, sobald Sie Ihre Gedanken schweifen lassen? Stattdessen handeln Sie einfach nach jeder Laune, die Ihnen in den Sinn kommt.

Worauf sollte ich also achten? Erstens sollte ich die allgemeinen Grundsätze in den Vordergrund stellen und sie in meinem Kopf bereithalten. Ohne diese Prinzipien sollte ich nicht schlafen, aufstehen, trinken, essen oder mit anderen verkehren. Ich muss verstehen, dass niemand den Willen eines anderen kontrollieren kann; das Konzept von Gut und Böse liegt allein in unserem eigenen Willen. Daher hat niemand die Macht, mir Gutes zu bringen oder mich in Böses zu verwickeln. Nur ich selbst habe die Kontrolle über mich. Wenn ich also diese Prinzipien in mir sicher habe, warum sollte ich mich von äußeren Faktoren beunruhigen lassen? Welchen Tyrannen, welche Krankheit, welche Armut, welches Vergehen sollte ich fürchten? "Nun, ich habe eine bestimmte Person nicht zufrieden gestellt." Aber ist er meine Verantwortung oder mein Urteilsvermögen? "Nein." Warum sollte ich mich dann mit ihm befassen? "Aber er soll doch jemand Wichtiges sein." Damit kann er selbst umgehen, ebenso wie diejenigen, die das glauben. Aber ich habe jemanden, dem ich gefallen sollte, dem ich mich unterordnen und gehorchen sollte - Gott und die, die ihm am nächsten stehen. Er hat mir die Kontrolle über mich selbst übertragen, wobei mein Wille nur mir selbst gehorcht. Er hat mir Richtlinien für seinen richtigen Gebrauch gegeben. Indem ich diese Richtlinien für logisches Denken befolge, kümmere ich mich nicht um andere, die anders denken. Bei trügerischen Argumenten beachte ich niemanden.

Warum ärgern mich dann in größeren Dingen diejenigen, die mich tadeln? Was ist der Grund für diese Unruhe? Nichts anderes als die Tatsache, dass ich in dieser Angelegenheit undiszipliniert bin. Alles Wissen verachtet die Unwissenheit und die Unwissenden, nicht nur in den Wissenschaften, sondern auch in den Künsten. Bringen Sie einen beliebigen Schuhmacher hervor, und er wird andere im Vergleich zu seiner eigenen Arbeit lächerlich machen. Bringt irgendeinen Tischler hervor.

Zunächst sollten wir sicherstellen, dass wir diese Dinge bereithalten und nichts ohne sie tun. Wir sollten unser Augenmerk auf dieses Ziel richten und nichts Äußerliches oder Dinge, die anderen gehören, anstreben. Stattdessen sollten wir das tun, was derjenige, der die Macht hat, uns zu tun aufgetragen hat. Wir sollten uns voll und ganz auf die Dinge konzentrieren, die unter unserer Kontrolle stehen, und alle anderen Dinge so angehen, wie sie erlaubt sind.

Außerdem sollten wir uns daran erinnern, wer wir sind und wie unser Name lautet. Wir sollten uns bemühen, unsere Verantwortung entsprechend den verschiedenen Rollen, die wir haben, zu erfüllen. Wir sollten zum Beispiel überlegen, wann es angemessen ist, zu singen oder zu spielen, und in wessen Gegenwart. Wir sollten auch über die Folgen unseres Handelns nachdenken, darüber, ob unsere Mitmenschen uns verachten werden und ob wir sie verachten werden. Wir sollten wissen, wann es angemessen ist, jemanden zu verhöhnen oder lächerlich zu machen, wann wir uns fügen und mit wem, und wie wir unseren eigenen Charakter bewahren, während wir uns fügen. Wenn wir jedoch von diesen Regeln abweichen, entsteht sofort Schaden, nicht durch äußere Faktoren, sondern durch unser eigenes Handeln.

Ist es nun möglich, frei von Fehlern zu sein? Nein, das ist es nicht. Was aber möglich ist, ist das ständige Bestreben, fehlerfrei zu sein. Wir sollten zufrieden sein, wenn wir durch konsequente Aufmerksamkeit wenigstens ein paar Fehler vermeiden können. Wenn Sie aber sagen: "Ich fange morgen an, aufmerksam zu sein", dann sagen Sie damit im Grunde: "Heute werde ich schamlos sein, Zeit und Ort missachten und mich gemein verhalten. Ich werde zulassen, dass andere mir Schmerz zufügen, ich werde aufbrausend und neidisch sein. Schauen Sie sich an, wie viele negative Dinge Sie sich erlauben, zu tun. Wenn es gut ist, morgen aufmerksam zu sein, wie viel besser ist es dann, dies heute zu tun? Wenn es in Ihrem besten Interesse ist, morgen aufmerksam zu sein, dann ist es heute noch besser, damit Sie es auch morgen tun können und es nicht wieder auf den nächsten Tag verschieben.

Von der Lektion...

Seien Sie stets aufmerksam und disziplinieren Sie sich, um sich auf das zu konzentrieren, was Sie unter Kontrolle haben. Folgen Sie Ihren Prinzipien und ignorieren Sie externe Meinungen, um wahren Frieden und Glück zu finden.

Zur Aktion!

(1) Achten Sie darauf, worauf Sie Ihre Aufmerksamkeit richten, und vermeiden Sie Ablenkungen.

(2) Erkennen Sie die Folgen von Unaufmerksamkeit und wie sie sich negativ auf Ihre Angelegenheiten und Ihr allgemeines Lebensglück auswirken können.

(3) Machen Sie es sich zur Gewohnheit, Aufgaben und Verantwortlichkeiten umgehend zu erledigen, anstatt sie aufzuschieben.

(4) Nähern Sie sich allen Aspekten des Lebens mit Aufmerksamkeit und Konzentration, sei es bei der Arbeit, in der Freizeit oder im Umgang mit anderen.

(5) Verstehen Sie, dass Aufmerksamkeit für die effektive und effiziente Ausführung von Aufgaben unerlässlich ist, und dass ihre Vernachlässigung zu unzureichenden Ergebnissen führen kann.

(6) Lassen Sie Ihre Gedanken nicht abschweifen, denn dann wird es schwierig, sich wieder zu konzentrieren und zu richtigem Verhalten, Anstand und einem Leben im Einklang mit der Natur zurückzukehren.

(7) Vermeiden Sie Aufschieberitis und achten Sie konsequent darauf, dass Ihr Leben und Ihr Wohlbefinden nicht weiter beeinträchtigt werden.

(8) Denken Sie darüber nach, welche Vorteile es hat, allen Aspekten des Lebens Aufmerksamkeit zu schenken, und fragen Sie sich, warum sich jemand dafür entscheiden sollte, die Aufmerksamkeit nicht zu nutzen.

(9) Erkennen Sie, dass sich Aufmerksamkeit auf alle Aspekte des Lebens erstreckt und dass sie für den Erfolg und bessere Ergebnisse unerlässlich ist.

(10) Erkennen Sie, dass die Vernachlässigung der Aufmerksamkeit dazu führen kann, dass man die Kontrolle über sein Handeln verliert und Anstand, Bescheidenheit und Mäßigung vernachlässigt.

(11) Setzen Sie Prioritäten für das, was wirklich Aufmerksamkeit verdient, indem Sie sich auf allgemeine Grundsätze konzentrieren und verstehen, dass der Wille das Einzige ist, was über Gut und Böse entscheidet.

(12) Verstehen Sie, dass äußere Faktoren und Menschen keine Kontrolle über den eigenen Willen haben und dass Sie allein verantwortlich sind und die Kontrolle über Ihr eigenes Handeln haben.

(13) Lassen Sie nicht zu, dass äußere Faktoren wie Tyrannen, Krankheiten, Armut oder Beleidigungen Ihren Seelenfrieden stören, wenn Sie die Kontrolle über Ihren eigenen Willen haben.

(14) Lassen Sie sich nicht von den Meinungen oder der Kritik anderer beunruhigen, denn deren Urteile definieren nicht Ihren Wert und bestimmen nicht Ihr Handeln.

(15) Konzentrieren Sie sich darauf, Gott und den Menschen, die in Ihrem Leben wichtig sind, zu gefallen, anstatt nach Bestätigung durch andere zu suchen.

(16) Erkennen Sie, dass Unwissenheit und mangelnde Disziplin die Hauptursachen für Störungen sind, und bemühen Sie sich, ständig zu lernen und sich zu verbessern.

(17) Denken Sie daran, sich an bestimmte Regeln und Grundsätze zu halten, sich in verschiedenen Situationen angemessen zu verhalten und Ihren eigenen Charakter, Ihre Würde und Ihre Werte zu wahren.

(18) Strebe danach, fehlerfrei zu sein, auch wenn es unmöglich ist, völlig frei von Fehlern zu sein.

(19) Vermeiden Sie das Aufschieben und verpflichten Sie sich, die Aufmerksamkeit heute zu nutzen, anstatt sie auf morgen zu verschieben.

(20) Verstehen Sie, wie wichtig es ist, die Aufmerksamkeit heute zu nutzen, um sie auch in Zukunft nutzen zu können, ohne sie ständig aufzuschieben.

KAPITEL 13

— Gegen oder für diejenigen, die bereitwillig ihre eigenen Angelegenheiten erzählen

Im Bereich der zwischenmenschlichen Beziehungen gibt es ein faszinierendes Phänomen, das Menschen dazu bringt, ihre tiefsten Geheimnisse mit jemandem zu teilen, der offen und aufrichtig über seine eigenen Angelegenheiten zu sein scheint. Diese Neigung entspringt einem Gefühl der Fairness und dem Wunsch, das Image der Ehrlichkeit zu wahren. Man glaubt, dass es nur fair ist, wenn man, nachdem man einem anderen aufmerksam zugehört hat, im Gegenzug auch seine eigenen Geheimnisse preisgibt. Außerdem glaubt man, dass es weniger wahrscheinlich ist, dass das Vertrauen missbraucht wird, wenn man jemandem seine Geheimnisse anvertraut, da die betreffende Person sich der möglichen Konsequenzen bewusst ist, wenn ihre eigenen Geheimnisse aufgedeckt werden. Diese Neigung kann jedoch oft zu unerwarteten Ergebnissen führen, da sich die Betroffenen in einem Kreislauf von Verrat und Indiskretion wiederfinden können. Daher ist es von entscheidender Bedeutung, die Wahl der Vertrauensperson sorgfältig abzuwägen, um zu vermeiden, dass man in die Folgen der eigenen Unachtsamkeit verwickelt wird.

Die Bedeutung von Vertrauen und Vertraulichkeit in Beziehungen

Wenn eine Person ehrlich über ihre eigenen Angelegenheiten spricht, ist es interessant, wie sehr wir dazu neigen, dies zu erwidern und uns ihr anzuvertrauen, weil wir es für ein offenes und aufrichtiges Verhalten halten. Erstens scheint es ungerecht zu sein, wenn man sich die Angelegenheiten eines anderen anhört, ohne im Gegenzug seine eigenen mitzuteilen. Zweitens glauben wir, dass es uns weniger offen erscheinen lässt, wenn wir nicht über unsere eigenen Angelegenheiten sprechen. Die Leute sagen oft: "Ich habe dir alles über mich erzählt, warum willst du mir nichts über dich erzählen? Woher kommt das?" Außerdem glauben wir, dass wir jemandem vertrauen können, der uns bereits von seinen eigenen Angelegenheiten erzählt hat. Wir denken, dass diese Person unsere Geheimnisse niemals preisgeben würde, da sie darauf achtet, dass wir ihre Geheimnisse auch nicht preisgeben. Auf diese Weise werden auch in Rom ahnungslose Menschen von Soldaten gefangen genommen. Ein in Zivil gekleideter Soldat setzt sich neben Sie und beginnt, schlecht über Cäsar zu sprechen. Da Sie das Gefühl haben, dass diese Person ihre Loyalität bewiesen hat, indem sie die Kritik auslöste, sagen Sie auch Ihre Meinung und werden daraufhin in Ketten abgeführt.

Das ist etwas, was uns im Allgemeinen widerfährt. Nun, da dieser Mann mir sein Vertrauen geschenkt hat, sollte ich dasselbe mit jeder Person tun, der ich begegne? Wenn ich dazu neige, zu schweigen, wenn ich etwas gehört habe, dann tue ich das auch. Er hingegen erzählt jedem, was er gehört hat. Wenn ich dann zufällig von etwas erfahre, was sich ereignet hat, beschließe ich, wenn ich wie er bin, mich zu rächen und das, was er mir erzählt hat, weiterzugeben. Auf diese Weise störe ich andere und fühle mich selbst gestört. Wenn ich mir jedoch vor Augen führe, dass eine Person einer anderen nicht schadet und dass die Handlungen jedes Einzelnen nur ihn selbst betreffen, kann ich sicherstellen, dass ich mich nicht wie er verhalte. Trotzdem leide ich immer noch unter den Folgen meiner eigenen törichten Worte.

Stimmt, aber es ist ungerecht, wenn man die Geheimnisse seines Nachbarn kennt und ihm im Gegenzug nichts mitteilt. Habe ich Sie um Ihre Geheimnisse gebeten? Haben Sie Ihre Angelegenheiten unter bestimmten Bedingungen mitgeteilt und erwartet, dass Sie im Gegenzug meine hören? Wenn du ein Klatschmaul bist und glaubst, dass jeder, den du triffst, ein Freund ist, erwartest du dann, dass ich es auch bin? Aber selbst wenn Sie mir Ihre Angelegenheiten anvertraut haben, warum sollte ich so voreilig sein und Ihnen meine anvertrauen? Es ist, als hätten Sie ein undichtes Fass und ich ein dichtes, und Sie bitten mich, Ihren Wein in meinem Fass zu lagern, beschweren sich dann aber, dass ich nicht bereit bin, meinen Wein in Ihrem undichten Fass zu lagern. Gibt es in dieser Situation irgendeine Fairness oder Gleichheit? Sie haben Ihre Angelegenheiten einem treuen und bescheidenen Menschen anvertraut, jemandem, der versteht, dass nur sein eigenes Handeln Wirkung zeigt. Willst du, dass ich dir meine anvertraue, jemandem, der seinen eigenen Sinn für Entscheidungen enthert hat und nur nach persönlichem Gewinn in Form von Geld, Macht oder Beförderung strebt, selbst wenn das bedeutet, deinen eigenen Kindern wie Medea zu schaden? Wo ist da die Gleichheit? Zeigen Sie mir stattdessen, dass Sie treu, bescheiden und verlässlich sind. Zeigen Sie mir, dass Sie vertrauenswürdige Meinungen haben und dass Ihr metaphorisches Fass ohne Leck ist. Dann werden Sie sehen, dass ich nicht darauf warte, dass Sie mir Ihre Angelegenheiten anvertrauen, sondern dass ich zu Ihnen komme und Sie um Ihre Hilfe in meinen Angelegenheiten bitte. Denn wer würde nicht gerne ein gutes Gefäß benutzen? Wer würde nicht einen wohlwollenden und treuen Berater schätzen? Wer würde nicht gerne jemanden annehmen, der bereit ist, seine Schwierigkeiten zu teilen und so die Last zu erleichtern? "Stimmt, aber ich vertraue dir, du vertraust mir nicht." Zunächst einmal vertraust du mir nicht einmal, denn du bist ein Klatschmaul und kannst nichts für dich behalten. Wenn du mir wirklich vertrauen würdest, würdest du deine Angelegenheiten nur mir anvertrauen. Aber stattdessen setzt du dich, wann immer du jemanden siehst, der verfügbar ist, neben ihn und sagst: "Bruder, du bist der gütigste und liebste Freund für mich. Bitte kümmere dich um meine Angelegenheiten." Und das tust du sogar bei völlig Fremden. Aber wenn du mir wirklich vertrauen würdest, dann nur, weil ich treu und bescheiden bin, und nicht, weil ich meine Angelegenheiten mit dir geteilt habe. Erlaube mir also, die gleiche Meinung über dich zu haben. Zeigen Sie mir, dass ein Mensch, der seine Angelegenheiten mit einem anderen teilt, treu und bescheiden ist. Denn wenn das wahr wäre, würde ich meine Angelegenheiten mit jedem teilen, weil ich denke, dass ich dann treu und bescheiden wäre. Aber das ist nicht der Fall, und es ist auch keine weit verbreitete Überzeugung. Wenn Sie also jemanden sehen, der sich mit Dingen beschäftigt, auf die er keinen Einfluss hat, jemanden, der sich sein Handeln von äußeren Faktoren diktieren lässt, dann wissen Sie, dass diese Person von unzähligen Dingen beeinflusst und behindert wird. Sie brauchen keine Folter oder Drohungen, um sie zu zwingen, ihr Wissen preiszugeben; eine einfache Geste oder der Wunsch nach Macht oder Erbschaft kann sie leicht umstimmen. Deshalb müssen Sie daran denken, dass geheime Gespräche Vertrauen und gemeinsame Überzeugungen voraussetzen. Aber wo kann man solche Menschen leicht finden? Und wenn Sie diese Frage nicht beantworten können, dann verweisen Sie mich bitte auf jemanden, der sagen kann: "Ich kümmere mich nur um die Dinge, die wirklich mir gehören, die Dinge, die keinem äußeren Einfluss unterliegen, die Dinge, die von Natur aus frei sind." Das ist meiner Meinung nach das Wesen des Guten. Was alles andere angeht, so kümmere ich mich nicht darum.

Von der Lektion...

Seien Sie vorsichtig, wenn es darum geht, Ihre persönlichen Geheimnisse mit anderen zu teilen, denn nicht jeder kann darauf vertrauen, dass sie vertraulich behandelt werden.

Zur Aktion!

(1) Denken Sie darüber nach, warum wir uns gezwungen fühlen, unsere eigenen Geheimnisse mitzuteilen, nachdem jemand ihre mit uns geteilt hat, und überlegen Sie, ob dieses Verhalten wirklich offen oder fair ist.

(2) Verstehen Sie, dass das Teilen unserer eigenen Angelegenheiten mit jemandem, der die Angelegenheiten unseres Nachbarn angehört hat, kein gleichberechtigter Austausch sein kann, da die andere Person vielleicht nicht vertrauenswürdig ist oder keine ehrenhaften Absichten hat.

(3) Erkennen Sie, dass, nur weil jemand seine Geheimnisse mit uns geteilt hat, dies nicht bedeutet, dass wir verpflichtet sind, im Gegenzug unsere eigenen zu teilen.

(4) Beurteilen Sie die Vertrauenswürdigkeit und Zuverlässigkeit anderer, bevor Sie ihnen unsere Angelegenheiten anvertrauen.

(5) Seien Sie diskret und geben Sie keine unnötigen Informationen preis, vor allem nicht, wenn die andere Person den Ruf hat, ein Klatschmaul zu sein.

(6) Überlegen Sie, ob die Person, der wir uns anvertrauen, treu und bescheiden ist und eine freundliche Meinung hat, bevor Sie ihr unsere Geheimnisse anvertrauen.

(7) Schätzen Sie diejenigen, die Ihnen wohlwollend und treu zur Seite stehen, denn sie können uns unterstützen und uns helfen, die Last unserer Situation zu lindern.

(8) Verstehen Sie, dass das Vertrauen auf dem Charakter der Person beruhen sollte und nicht allein auf der Tatsache, dass sie ihre eigenen Angelegenheiten mit uns geteilt hat.

(9) Erkennen Sie, dass Treue und Bescheidenheit Qualitäten sind, die konsequent unter Beweis gestellt werden sollten und auf die man sich nicht allein aufgrund der Weitergabe eigener Geheimnisse verlassen sollte.

(10) Seien Sie vorsichtig bei Personen, die externen Faktoren wie Geld oder sozialem Status Vorrang vor Prinzipien und moralischen Werten einräumen, wenn Sie ihnen persönliche Informationen anvertrauen.

(11) Erkennen Sie an, wie wichtig es ist, Geheimnisse treu zu bewahren, und vertreten Sie entsprechende Standpunkte in dieser Angelegenheit.

(12) Akzeptieren Sie, dass es in der heutigen Gesellschaft schwierig sein kann, Personen zu finden, die treu sind und eine entsprechende Meinung haben.

(13) Bekräftigen Sie den Grundsatz, sich nur auf die Dinge zu konzentrieren, die in unserer Hand liegen, und nicht zuzulassen, dass äußere Umstände unsere Handlungen und Entscheidungen diktieren.

INDEX